上：朝日に照らされるアブシンベル大神殿（本文 2 頁）

右：切りかけのオベリスク（本文 10 頁）
左中段：レリーフと彩色が施された多柱室の列柱（本文 16 頁）
左下段：メムノンの巨像（本文 22 頁）

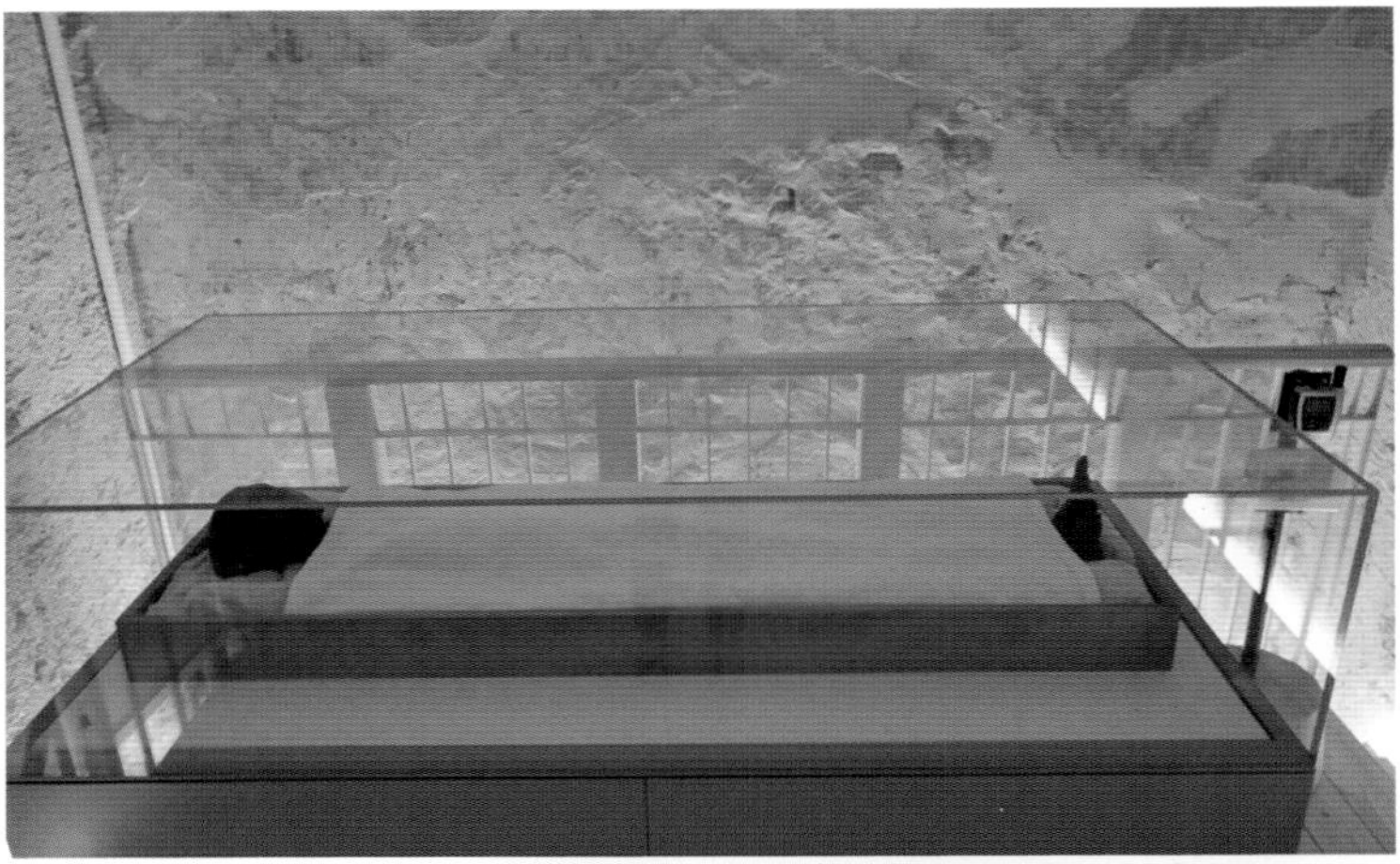

上：玄室に眠る
ツタンカーメンの
ミイラ（本文 23 頁）

右：ホルス神殿・
列柱室（本文 31 頁）

上：途中で傾斜角度が曲がっている屈折ピラミッド（本文36頁）

下：クフ王のピラミッド。盗掘用に開けられた穴から内部に入る（本文41頁）

クフ王ピラミッドの大回廊（本文 42 頁）

上：エジプト考古学博物館、1階中央のギャラリー（本文48頁）

下：木製のハンマー他、石材加工に使用された各種の工具（本文53頁）

上：ギョベクリ・テペ遺跡の重要な部分は屋根に覆われている（本文56頁）

下：ハットゥシャ遺跡上の町の獅子門（本文63頁）

上：古代都市フェティエの町並み

下：現在発掘調査中のヤッスホユック遺跡（本文 78 頁）

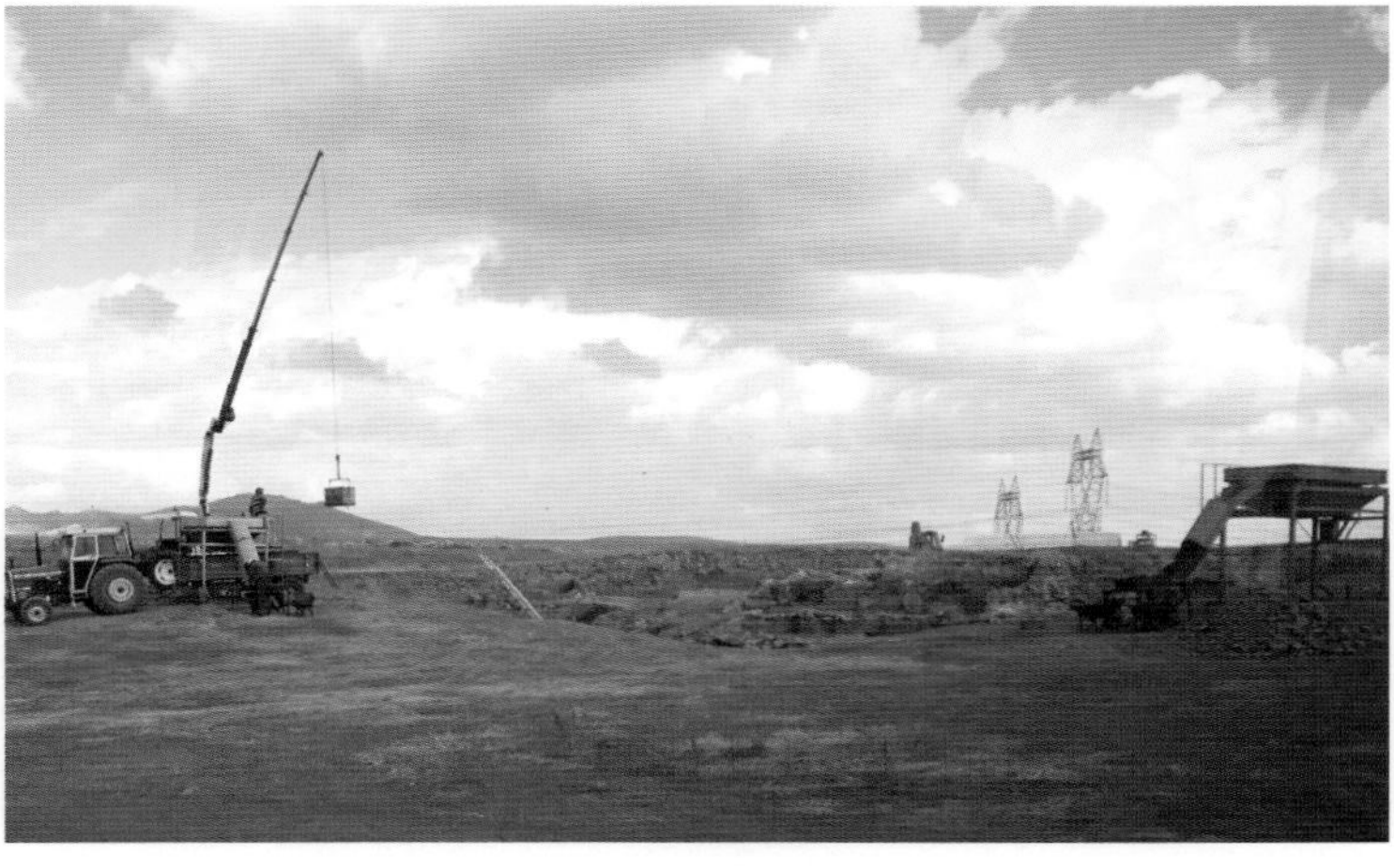

上段：ペトラの岩窟建築、
エル・ハズネ（本文 84 頁）

中段：アルテミス
神殿の柱（本文 93 頁）

下段：ローマ時代の
石の切削機械の模型
（本文 94 頁）

上段：ビストゥーンに残るダイオレス１世の戦勝記念磨崖碑（本文 100 頁）

中段：クセルクセスの門（本文 103 頁）

下段：アルタクセルクセス二世の王墓（本文 106 頁）

左頁上：カールリー石窟寺院（本文 129 頁）
左頁下：精緻な彫刻と壁画に飾られた第 2 窟（本文 135 頁）

右頁上段：ダーダー・ハリ階段井戸内の方形井戸（本文 111 頁）
右頁右：アダラージ階段井戸の地底（本文 114 頁）
右頁左中：アディー・カディー・ヴァーブ（本文 118 頁）
右頁左下：アウランガバード石窟寺院第 4 窟（本文 126 頁）

上：岩盤の不安定な天井はそのままになっている未完成の第２窟（本文 138 頁）

下：第 16 窟、カイラサナータ寺院（本文 144 頁）

上：精緻で立体的な彫刻が施された第32窟の柱（本文147頁）

中：バーダーミ第3窟を見上げる（本文149頁）

下：手前に格子状の彫りかけ跡が残るアルジュナの苦行（本文156頁）

上：ナーガルジュナ石窟（本文161頁）

下：スダーマ石窟（手前）。奥がローマス・リシ石窟（本文163頁）

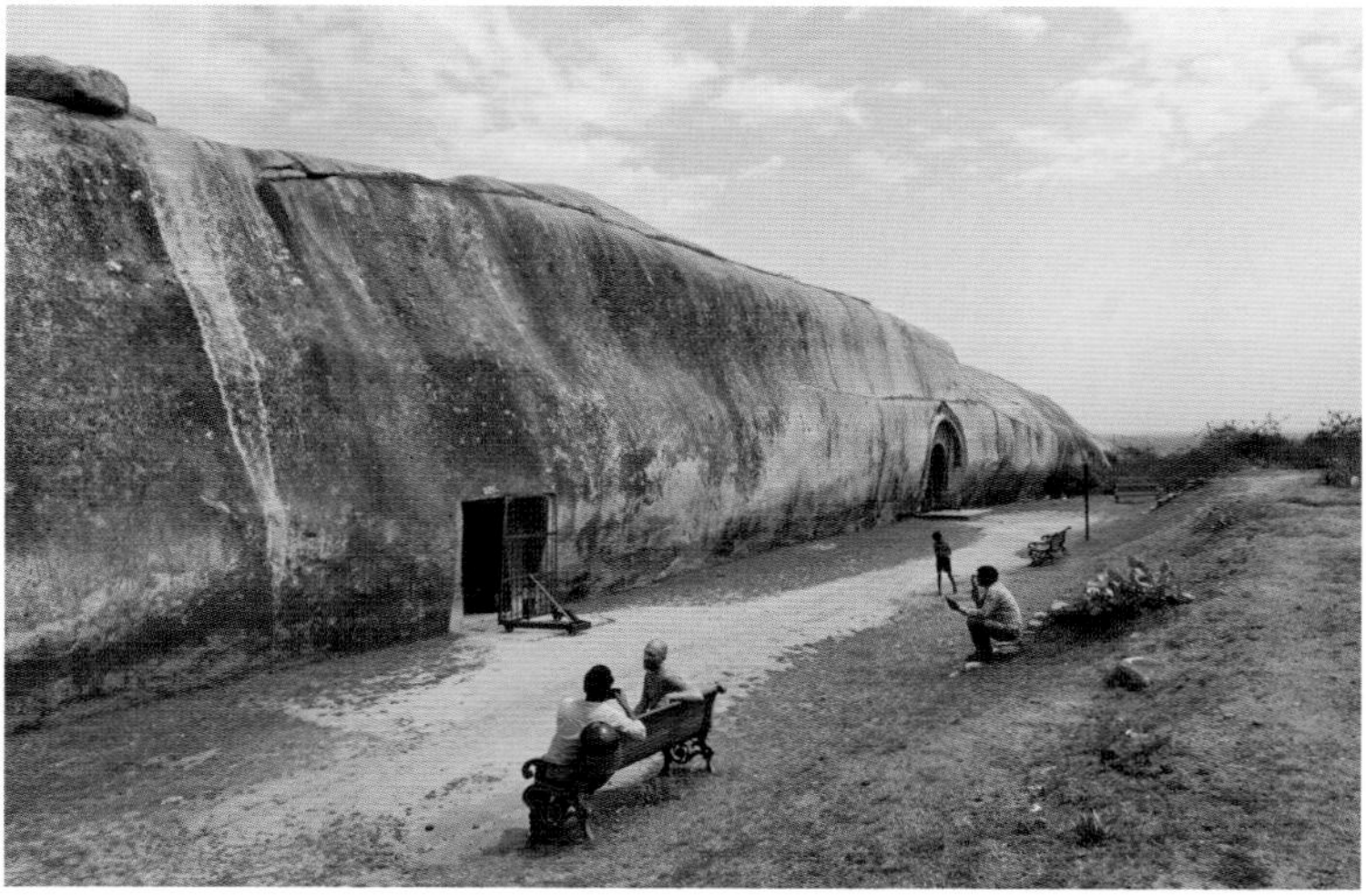

上：ギルナール山参道
（本文 169 頁）

中：アジャンター第１窟
（本文 175 頁）

下：マハーバリプラム
未完成窟（本文 182 頁）

上：側面に格子状整形加工痕が残る益田の岩船（本文 186 頁）

右：エジプト・ルクソール神殿のラムセス二世像基底部に確認される梃子穴（本文 196 頁）

下：御所ケ谷神籠石・中門跡（本文 202 頁）

古代オリエントから飛鳥へ

石材技術を探る旅

山田政博
YAMADA Masahiro

丸善プラネット

まえがき

古代遺跡の研究は、土木・建築的な立場からの考古学的な考察や実証が盛んにおこなわれており、当時の技術的な解明はかなり進んでいるようである。

石材業を生業とする家系に育った私は、自然の成り行きで古代遺跡に多く見られる石材のことに興味を持つようになっていた。私の最大の関心は、多くの考古学者が研究対象とする遺跡の時代背景や土木や建築に関する観点からではなく、当時、どんな状況で、どのような道具と技術を用いて石材を扱っていたのかということである。

私が経営していた会社は宮城県白石市に位置する玄武岩質安山岩と福島県いわき市に位置する花崗岩の二か所の採石場を所有していて、採石から加工・施工までを業務としていた。玄武岩質安山岩の採石場では一九六〇年代には作業員二〜三〇人が採石や石割作業に従事し、石割をはじめとして人力による石の扱い方や技術について、様々に見聞きしている。

花崗岩の採石場は比較的新しい一九八〇年代からの操業で、火薬による切り出し作業や岩盤を直接切断するワイヤーソーなど主に機械力による作業が主であったが、一〇人ほどの作業員はそれぞれが石の目利きであり、石が割れやすいいわゆる「石の目」を読んで作業に当たっていた。

一九七〇年代に、玄武岩質安山岩の採石場に彫刻家、イサム・ノグチ氏が訪れ、この石で数多くの作品を制作したことをきっかけに、美術家の間で注目されるようになった。採石場の片隅に設けた作業場では何人かの彫刻家が石彫の作業する姿に触れ、個人的な興味心から二十年以上にわたって、実際に石の手加工に従事してきた経験を私自身が持っている。

石の作業は石の性質や加工状況により、様々な道具や機材を使い分けながら作業を進めていくのであるが、石材加工の原点というべきノミによる作業においては、加工する石材によって微妙に違いがあり、どのような道具立てを選ぶかで作業効率や仕上がりの状態が違ってくることを体験している。

つまり、ノミのことでいうと、太さや長さ、ノミ先の形や硬さと、ノミを打ち込むハンマーの重さや、角度・力加減などが要素となるのである。

加工した石の表面には加工に要したそれまでのプロセスが、すべて現れるといっても過言ではない。それだけにどの過程も真剣勝負である。仕上がったフォルム全体の表情やノミ痕の美しさなどにも十分に気を付けなければならない。

そのような観点から、一人の石工として古代遺跡と向き合い、石材加工の道具痕から様々なことを推測しながら各地の遺跡を訪ね歩くことは、実に楽しい。

今回、会社の業務から完全に離れたことをきっかけに、文明の発祥の地とされる中近東からインドの古代遺跡を巡ってみた。

石材加工の見地からも世界史上で最も進んでいたのが、古代エジプトである。実際にエジプトに残る遺跡を訪れてみると、宇宙人説が唱えられるほどその技術的な水準は驚異的であるが、自分自身の目でよく観察し、様々な文献を手掛かりにそれを解明してみたのが本書である。

さらに各地の遺跡を見ることによって、石材の様々な加工技術がエジプトを原点として各地に伝わっていった様子が、おぼろげながら掴むことができた。そのつながりは、あたかも古代のシルクロードをたどるような流れとなって、古代の石造物が残る飛鳥までつながっていたのではないかと想像するに至っている。

古代遺跡において見逃されがちな石材加工の視点を中心に、古代遺跡に関心を持つ人々がさらに広がることを期待しながら、旅行記風にまとめてみたのが本書である。

目次

インド編　109

飛鳥編　185

番外編　199

エジプト編

二十代後半、石屋という仕事になんとなくなじめずにいたころ、降ってわいたようにエジプト・ピラミッドの姿が脳裏に浮かび上がり、以来、「ピラミッドをつくる気概」というフレーズを自分自身の拠り所にしながら石の仕事に就いてきた。そんな気構えの原点ともいうべきピラミッド。今回はそのピラミッドを始めとしてエジプト各地の遺跡を回ってみた。

一、アブシンベル神殿

エジプト・アラブ共和国の南端、スーダン国境近くに建設されたアブシンベル神殿。ナイル川は川幅が狭くなって、花崗岩の岩盤が現れる急流域があり、船での通過が難しい。そうした交通の障害が歴史的に政治・文化の境界をも担ってきた。

アスワン付近の第一急端は地形からすると、本来は古代からエジプトとヌビア（現スーダン）との境なのだが、アスワン付近はエジプト古王国時代から良質の赤花崗岩の産地である。各地の神殿建設などに大量に使用された赤花崗岩の採石場として重要な場所であり、アブシンベル神殿は新王国時代第九王朝の王・ラムセス二世の絶大な権力を誇示するがごとく、さらに上流の第二急流域付近に建設された。

神殿は、ラムセス二世がシリアの領土をめぐってヒッタイトと戦った「カデッシュの戦い」に勝ったことを誇示する戦勝記念として建設したといわれるが、実際はヒッタイトが従来通りにシリアを勢力下に置いたことか

朝日に照らされるアブシンベル大神殿

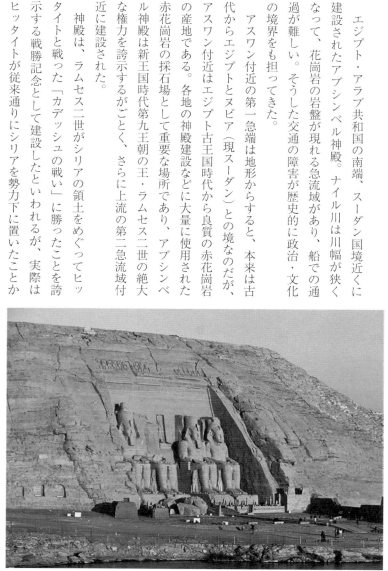

アブシンベル大神殿・入り口の右壁のシリア人捕虜

アブシンベル大神殿・入り口の左壁のヌビア人捕虜

ら、ヒッタイトの勝利だったとみられている。
その後、十六年にわたって争いを続けたが、地中海の都市国家が勢力を増してくるようになり、両国はその防戦に応じる必要が生じたためにやがて和解し、エジプトとヒッタイトとは同盟国となった。それを表す粘土板がトルコ・イスタンブールの考古学博物館に保存されており、この事実は世界史上最古の和平協定として知られ、レプリカがニューヨークの国連本部に掲げられている。
アブシンベル神殿のオリジナルは、砂岩の岩山を掘り抜いた岩窟神殿で、三千三百年前に建設され、大神殿と小神殿の二つの神殿がある。

■アブシンベル大神殿

ラムセス二世は国を束ねるために自らを「太陽神ラー」と名乗り、数々の神殿を建設した王として知られているが、アブシンベル大神殿はその中でも最高傑作であり、高さ三二メートル、幅三八メートル、奥行き六三メートルの壮大な規模を誇る。

神殿の前部に彫られた高さ二二メートルの四体の巨像は全てラムセス二世で、各時代の姿を表している。左から二番目の像は、完成後七年目に起きた大地震によって崩落したといわれている。入り口手前の壁には、向かって右側にシリア人捕虜、左側にヌビア人捕虜が縄でつながれた状態で描かれ、当時の争いの状況を表している。

内部空間はかなり広く、いくつかの部屋に分かれている。中に入ると最初に大列柱室があり、北の壁面には、カデッシュの戦いでラムセス二世が勇ましく闘う姿が躍動的に描かれている。南の壁面にもシリア・リビア・ヌビアとの戦いが描かれ、新王国時代の勢力が旺盛だった様子を表現している。

大列柱室から奥に進むと神殿の最も神聖な場所、至聖所に行き着く。至聖所の奥の壁面には、プタハ神、アメン・ラー神、神格化されたラムセス二世、ラー・ホルアクティ神の四体の像が彫られている。

毎年、二月二十二日と十月二十二日の年に二回、神殿内部を通過する朝日によって、冥界神であるプタハ神を除いた三体の神が照らされるように設計されていて、神の化身である王の力が太陽光のエネルギーによって活性化し、ラムセス二世は神の力を得たということを表現していると考えられている。

アブシンベル大神殿・大列柱室

アブシンベル大神殿・戦車に乗って戦うラムセス二世

アブシンベル大神殿・大列柱室から至聖所へ

アブシンベル大神殿・シリア人と戦うラムセス二世

■アブシンベル小神殿

大神殿と比べると小ぶりではあるが、正面にはラムセス二世の立像四体と、ネフェルタリ王妃二体が保存状態の良い姿で並んでいる。中の列柱室は王妃の彩色レリーフが壁面を飾っている。王には八人の王妃と百人以上の子供がいたといわれているが、この小殿は第一夫人であるネフェルタリ王妃のために建造された。

■水没からの救済プロジェクト

一九六〇年代にアスワンハイダムの建設が始まったことで、アブシンベル神殿は水没の危機にさらされた。この現実に対してユネスコが立ちあがり、遺跡の救済に向けて各国に呼びかけを行った結果、世界六十か国の援助を受けて一九六四年から六八年にかけて遺跡救済のための一大プロジェクトが敢行された。

この工事では、巨大な神殿が千個以上のブロックに切断され、元の位置から一二〇メートル離れ、六〇メートル上がった場所にそっくり移設された。神殿の内部空間はあらかじめ作られた巨大なコンクリート製

アブシンベル大神殿・至聖所の壁面に彫られた４体の像。右から２番目が神格化されたラムセス二世

のドームの中に納められ、そのドームの正面に入り口付近の巨像が取り付けられている。さらにドームの外側を砂岩のブロックで覆っているという状況なのだが、一見すると、これが移設されたものとは思われない見事な復元状態である。ちなみに砂岩ブロックの接着剤は日本製のものが採用されたとのこと。

嬉しいことにナイル川クルーズ船では、当時の記録映像が放映されている。神殿が手動ノコギリで慎重に分割されていく様子など、この壮大なプロジェクトを進めた取り組み方の全体像や当時の技術的な様子を客室で知ることができる。

この遺跡の移築と保護工事がきっかけとなり、世界各地の価値のある遺跡、建造物、自然を人類共通の遺産として保護していくための国際的な枠組みの必要性が認識され、一九七二年のユネスコ総会で世界遺産条約が採択され、二〇二一年現在、世界百九十一か国が締結している。

アブシンベル小神殿

女王の神殿らしく穏やかな造りのアブシンベル小神殿の列柱室

アブシンベル神殿の先はスーダン領土

移転作業の様子

参考文献

・人類五千年の歴史Ⅰ　紀元前の世界　出口治明著　ちくま書房
・地球の歩き方　エジプト編　ダイヤモンド・ビッグ社

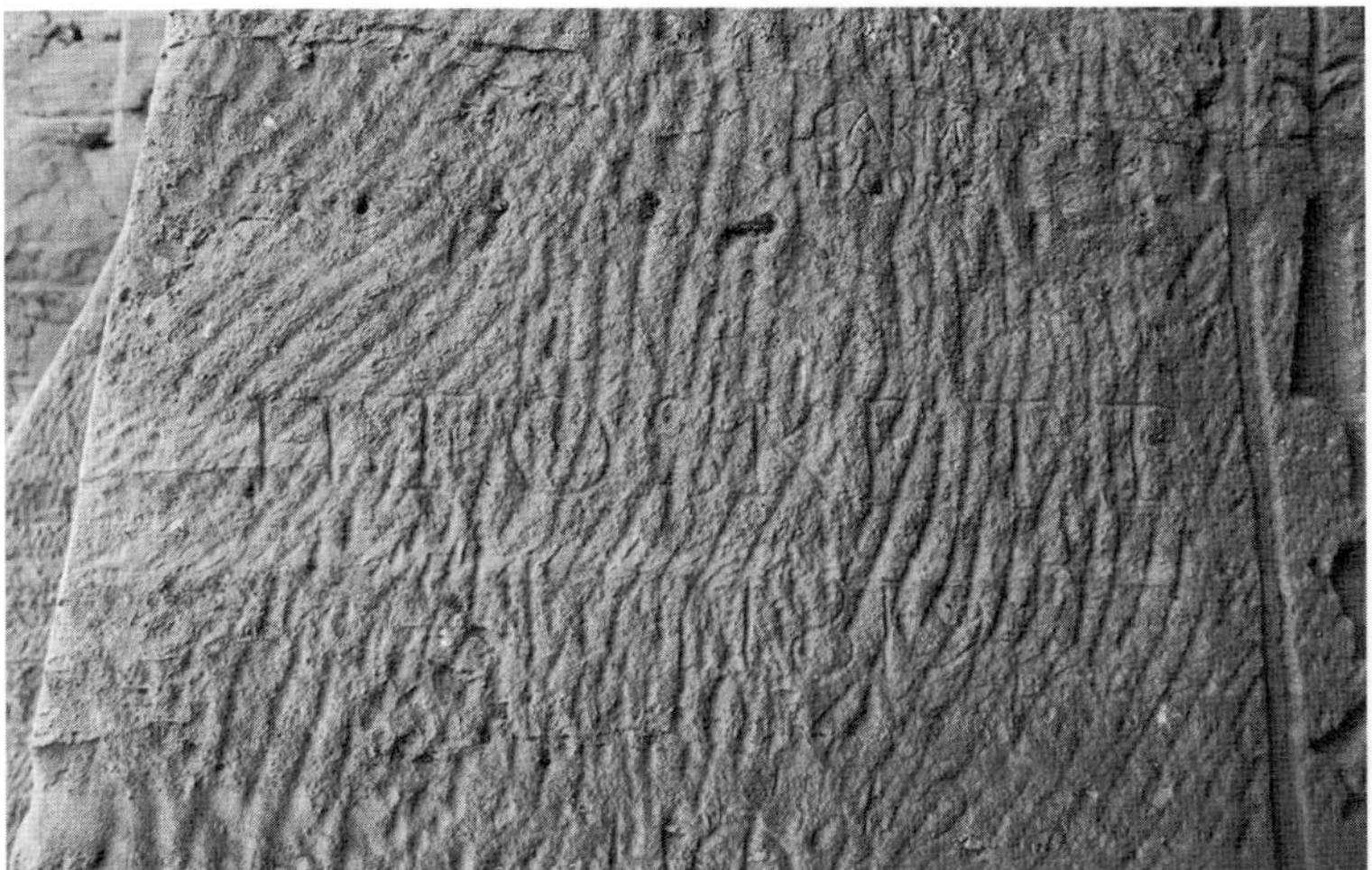

アブシンベル小神殿の岩盤に残るノミ痕。砂岩には青銅器でも有効である

二、アスワン

古代のエジプト王朝にとって、重要な資源の一つが石材である。エジプト先王朝頃には金・銀・銅・錫などの鉱石が西アジアの各地で採掘され、メソポタミアを中心として交易されたが、花崗岩・玄武岩・閃緑岩・黒曜石・フリント（火打石）・トルコ石などの様々な石材もまた各地で生産された。それらの資源を侵略や交易によって手に入れた古代のエジプト王朝は次第に力を増し、やがて強力な王国を築き上げていくことになる。

遠方からの物資は希少性を伴い、王朝の威信の象徴となる。エジプト王朝の王の富と力を表す神殿は、それら重要な物資が集積されてつくられていく。こうして王朝はますます栄えていったものと思われる。

ナイル川上流に位置するアスワンは一帯が赤花崗岩の地層であるために、川幅が狭くなり急流域となっている。そこにできた岩盤の島々や川の近くの各所に石切り場がつくられ、ナイル川の水運を利用して運び出されていった。

アスワンハイダムの下流域。赤花崗岩の岩盤が広がっている

三方が四角錘に成形されている「切りかけのオベリスク」の頂部

案内に従って進むと「切りかけのオベリスク」の側面が見えてくる

エジプト各地につくられた神殿にとって欠かせないこの石は、神殿の特に重要な部分に使用された。また大きな一枚石が採れるため、巨大な王の石像やオベリスクの材料にもなっており、古くから石を切り出すための作業や運搬等に従事する人々が大勢住みつき、石の切り出し作業に励んだものと推測される。

■切りかけのオベリスク

アスワンの町外れに、「切りかけのオベリスク」と呼ばれる未完成のオベリスクが残っている。第十八王朝のファラオ・ハトシェプスト女王（紀元前一五〇八～一四五八年）の命によって採取作業が開始されたとされるオベリスクである。

エジプトに現存する最も大きいオベリスクは、カルナック神殿に建てられた高さが二九・五六メートルあるハトシェプスト女王のオベリスクであるが、この「切りかけのオベリスク」は、基底部となる一面が四・二メートル、長さが四一・七五メートル、重量一二〇〇トンという驚くべき巨大なもので、完成したらエジプト最大のオベリスクになったはずである。

このオベリスクは、下面を除いてすでに岩盤から切り離されている。切り出し作業中に、亀裂が生じたために途中で放置された状態で残されていて、当時のオベリスクの切り出し技術、あるいは様々

加工に使われたストーンハンマーと加工の様子

全体のスケール感が実感できる基底部から見た「切りかけのオベリスク」

な石材加工技術を知るうえで貴重な遺跡となっており、興味深い。

亀裂発生の原因は、おそらく岩盤から切り離されていく過程で岩体を押し付けていた力が徐々に解放され、オベリスク岩体に含まれていた微細なキズがしだいに大きくなり、亀裂となって表れたものと思われる。

放置された切りかけの岩体の現場に立つと、長い時間費やされた膨大な労力が全て無駄になったことが、いやがうえにも思いやられ、作業打ち切りを判断した監督官や実際の労働者、その他この作業に関わった全ての人々の深い無念さが響いてくるような情景である。

■石の切り出し技術について

切りかけのオベリスクの上面は、浅い窪みを伴った面が連続して付いている。横の溝にも同じような面が連なっている。この痕は石の表面を高温で焼いた後、水で急冷し、その後、硬い閃緑岩などの石で叩きながら打ち砕いていった作業の痕だということが分かっている。

現代の採石場でも、二十年ほど前まで盛んに使用されていたジェットバーナーがある。これは岩石を構成する鉱物の熱膨張率の違いを応用して、石の表面を破壊して焼き切っていく機械であるが、その古代エジプト版であると考えるとわかりやすい。

参考文献では、「現場にはレンガが大量に残されており、高熱に焼いたレンガで石の温度を上げた」と説明されているが、どこでレンガを焼いたのか、あるいは高熱のレンガをどのようにして扱ったのかの疑問が残る。

私なりに推測すると、それらのレンガはふいごのような仕掛けに利用されたものであり、石の上に直接燃料を置いて石を焼き、レンガで作られた細いトンネル状のところに風を送ることによって、温度をかなり上げたものと思われる。

当時知られていた冶金技術が、どのようなものであったのかは不知であるが、金属をつくる技術を応用して高温を得ていた可能性は否定できないし、「高温

作業の様子を実演する現地の人

ストーンハンマーはリビア国境に近い場所から運ばれた閃緑岩質の片麻岩が最適といわれているが、アスワンの花崗岩からも採れるようだ

であればあるほど石は砕けやすくなる」といった知識は、当時からあったものと考えられる。

また、石切り場のいたるところにクサビ痕が残されていて、石を切り出す際にクサビを使用していたことがわかる。「このクサビ痕は後世のものである」と唱える学者もいるようであるが、参考資料によると当時もクサビを利用して岩盤から切り離したとしている。そこでは、水を含ませた木のクサビを使用したという説に対して、「木のクサビを打ち込んでも石の圧力に敵わず飛び出してくる」と説明されている。

しかし、私が考えるには、古代エジプトには青銅はあったものとされており、そうであればクサビは木より強固な青銅が使われたものとするのが当然であろう。さらに、かなりの重量の石材を岩盤から切り離しやすくするため

溝のところどころには岩盤から切り離された後に利用されると思われる梃子材を当てた穴が掘られている

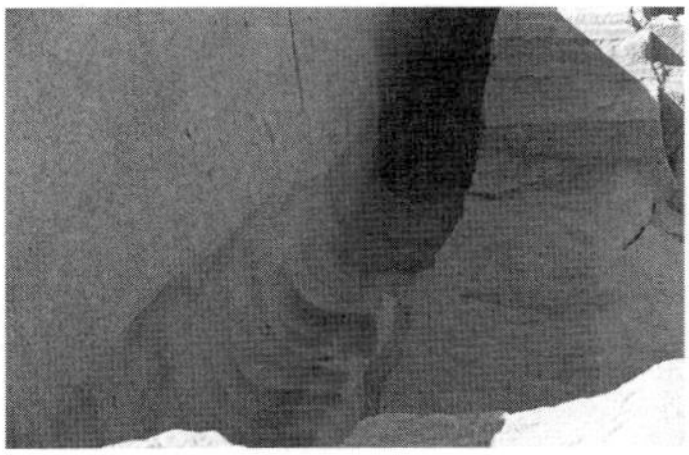

加工作業の様子が分かる溝の底面

岩盤に刻まれた幅 50~60cm の溝

に、クサビの両面に「セリガネ」を挟みこみ、油を使用してクサビを打ちこみやすくするといった工夫もされていたのかもしれない。

ただ、硬度「六～七」の赤花崗岩に「クサビ穴をどのような道具で開けていったのか」という疑問が残る。硬度「三」程度の青銅製のノミでは花崗岩には効かないはずである。焼き入れした鉄ノミが欠かせない。

では、果たして古代エジプトには鉄があったのか、そしてそれが道具として実際に使われていたのか、その可能性を探りながらエジプトの旅は続いていく。

参考文献

・世界の歴史1　人類の起源と古代オリエント　中央公論社
・エジプトのオベリスク　ラビブ・ハバシュ著　六興出版
・THE ASWAN OBELISK　R.ENGELBACH　Forgotten Books

連続したクサビを打ちこんで岩盤から外したと思われるクサビ痕

明らかに道具使いの意識が違う後世のものと思われるクサビ痕

三、　テーベ東岸

テーベの町は、ナイル川デルタ地帯から南に八〇〇キロの場所に位置し、金などの貴重な鉱物資源と交易ルートがあるヌビアおよび東部砂漠に近接する古代エジプトの主要都市であった。

新王国時代にはエジプト王国の首都として、膨大な戦利品がもたらされ、その王の権力・財力・威信を誇示するように、カルナック神殿やルクソール神殿など、空前の規模を誇る建造物が建設された。

全盛期のテーベはエジプトで最も豊かな都市として知られるが、エジプトの古王国時代からローマ時代まで、各時代の時の王たちや権力者によって興亡が繰り返された町でもある。

■カルナック大神殿

テーベの土地神であるアメン神に捧げられたカルナック神殿は、中王国・新王国・プトレマイオス朝の王たちにより、二千年間にわたって建造された。特に新王国時

羊顔のスフィンクス参道を通り、カルナック神殿の入り口の第１塔門へ

レリーフと彩色が施された目もくらむような多柱室の列柱

床・壁・天井とも赤花崗岩で作られている至聖所

代のトトメス三世の時代には、毎年のように西アジアに遠征して勝利し、エジプトはその戦利品で潤い、「アメン神のご加護による勝利」として、戦利品の数々がカルナック神殿に寄進された。

その後のアメンホテプ三世の時代には、エジプトは安定した帝国として軍事遠征をほとんど行わず、外交交渉による繁栄と平和を基盤に各地で数多くの建造物建立に力を注いだ。

カルナック神殿には第三塔門とパピルス柱が建てられ、後にラムセス二世によって大列柱室として完成させられた。

アッシリアから出土した楔文字粘土板に刻まれた文書によると、その頃のエジプトの繁栄ぶりは「バビロン王に黄金九〇トン、ミタンニには女王が嫁いできた見返りに黄金六〇〇キロを贈った」という記録が残ってお

第１塔門の内側には建設の際に利用されたと思われるレンガと土の残骸が

上部は金と銀の合金である琥珀金で覆われていたというハトシェプストのオベリスク

り、ヌビアや東部砂漠からの金鉱山と遠征による戦利品の数々でいかに潤っていたかを表している。

　その繁栄ぶりを誇示するかのようなカルナック神殿は、見上げるような高さをもつ第一塔門からして圧倒的である。そこから中庭を抜けて一三四本の巨大なパピルス柱が林立する大列柱室に入ると、目がくらむような空間が迫って来る。用いられている主な石材はヌビアから運ばれた砂岩であるが、至聖所やオベリスク、各王の石造物などの大事なところはアスワンから運ばれた赤花崗岩が用いられている。

　大列柱室を抜けると、赤花崗岩製のトトメス一世とハトシェプスト女王のオベリスクが立っている。ハトシェプスト女王は「黄金の山をまるで小麦の袋のように扱った」と当時の記録にもあるように、オベリスク建立に並々ならぬ精力を注いだといわれ、アスワンの切りかけのオベリスクもハトシェプスト女王の命により作業が

第２塔門前に建つ赤花崗岩製のラムセス二世の巨像。台座には梃子穴がついている

アメンホテプ三世大列柱廊

ラムセス二世のオベリスクが立つルクソール神殿の第１塔門

床のつなぎ目には「チギリ加工」が施されている。硬い木材が使用されたと思われる

砂岩の表面に残るノミの痕。ノミ先の形は平ノミに近い

アメンホテプ三世の中庭の列柱

開始されたとのことである。
カルナック神殿は、歴代の王が寄進して増改築を重ね拡張されていった巨大な神殿複合体であり、石屋としても見どころ満載な建造物で興味が尽きない。

■ルクソール神殿

ルクソール神殿はもともと、カルナック神殿の付属神殿として、アメンホテプ三世によって中心部分が建立された。カルナック神殿と同様、用いられている主な石材はヌビア砂岩であるが、赤花崗岩製のオベリスクや玄武岩製とみられる大きな石造物もあり、歴代の王の威信を感じさせる建造物である。塔門で仕切られた巨大な列柱室を何度もくぐりながら進んでいくにつれ、当時のエジプトの繁栄ぶりと神殿建設にかける歴代王の意気込みが十分に伝わって来る空間構成となっている。

エジプト王国時代の石材が逆さまに積まれている

ローマ時代の内陣に残るフレスコ画

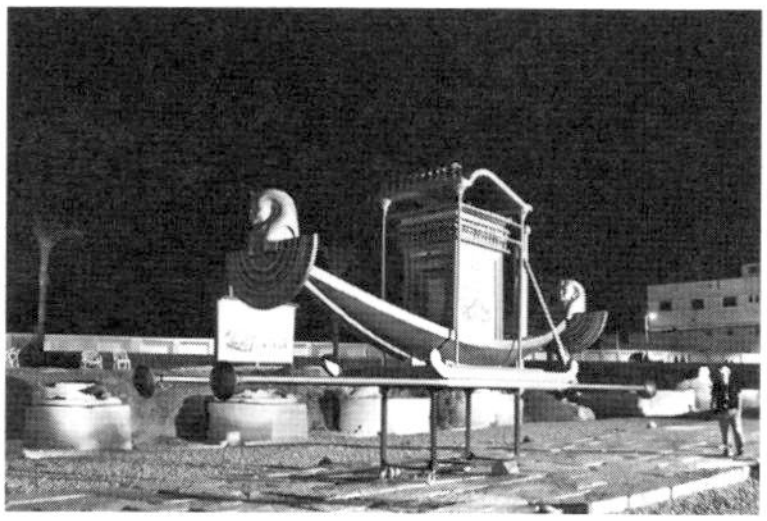

スフィンクス回廊の中ほどに置かれた聖船をかたどった御輿

神殿の奥には、アメンホテプ三世およびアレキサンダー大王によって構築された祠堂がある。アレキサンダーはアケメネス朝ペルシアを滅ぼして、史上初めて古代ギリシアと古代オリエントを融合させた王として知られるが、エジプトにおいてはファラオとして遇され、崇拝されたことが分かり興味深い。

さらに、ローマ時代には神殿およびその周辺が軍の要塞として使用され、ローマ政府の基地にもなったことも知られている。

ローマ時代の内陣（部屋）の一部には、エジプト時代の壁に漆喰が塗られ、その上に描かれたフレスコ画が残っており、教会としても使われたことがうかがい知れる。また、その際に作り替えられた壁にはエジプト時代の石材が無造作に積まれた箇所もある。エジプト王国の絶頂期を象徴するような神殿が、後の征服者によって勝手な扱いを受けているのは、王国の凋落ぶりを示

2001年に修復を終えたスフィンクス街道

していようで哀れであった。

■スフィンクス街道

カルナック神殿とルクソール神殿とをつなぐ約三キロのスフィンクス街道。古代エジプトではナイル川増水の時期に、アメン神のご神体がこのスフィンクス街道を通って、カルナック神殿からルクソール神殿まで聖船に乗せられて運ばれる「オプト祭」が行われていたという。そのお祭りに使われる聖船をかたどった御輿が、街道の中ほどに置かれていた。

夜の暗闇に、ライトアップされぽつんとした姿の聖船の模型を見て、圧倒的な神殿見学からようやく解放されたような気分になり、何か全身の力が抜けるような気がした。

参考文献

・古代エジプトを学ぶ　馬場匡浩著　六一書房
・古代メソポタミア全史　小林登志子著　中公新書

四、　テーベ西岸

紀元前二千五百年頃の古王国時代には盛んに建設されたピラミッドだが、紀元前千五百年頃の新王国時代になると、ファラオたちはピラミッド建設を止め、テーベ西岸（ルクソール・ナイル川西岸）のクルナ村に位置する四角錘の形をしたアル・クルン山をピラミッドに見立て、壮大な葬祭殿と王宮を建設した。また、山の背後の「王家の谷」と呼ばれる場所には王墓を造営した。王墓は石灰岩質の岩肌を穿ってつくられており、現在六二基の墓が確認されている。

■メムノンの巨像

テーベ西岸に建設されたアメンホテプ三世の葬祭殿は、後述するハトシェプスト女王の葬祭殿をしのぐ規模であり、当

メムノンの巨像　ローマ時代に起きた地震によってひびが入りこのような姿になった

王家の谷、ラムセス九世の墓の入り口通路

王家の谷から見たピラミッドの形をしたアル・クルン山

時のエジプトにおいての最大の建造物であった。

紀元前千二百年頃に起きた地震により全壊し、その石材は他の建築用材として運び出されてしまったために、現在は「メムノンの巨像」と呼ばれる高さ二〇メートルの珪質砂岩製のアメンホテプ三世の像二体が残るのみとなっている。

この巨像は、七〇〇トン以上の重さがあるといわれ、ナイル川の下流五〇〇キロほどにあるカイロ近郊の採石場から、陸上を引っ張って運んできたものと考えられている。

■ツタンカーメンの墓

一九二二年に英国考古学者ハワード・カーターによって発見されたのが六二一番目の王墓、ツタンカーメンの墓である。墓は前室・付属室・宝室・玄室の四部屋からなり、金で装飾された副葬品で埋め

玄室に眠るツタンカーメンのミイラ

石灰岩質の岩盤の掘痕が生々しいラムセス九世の墓の通路部分

ネフェルタリの墓の控えの間付近の壁画

ラムセス三世の通路に描かれた壁画

尽くされていた。

その部屋で唯一壁面装飾された玄室には、四重の木製の厨子が部屋いっぱいに納められ、その中に赤花崗岩製の石棺が置かれ、さらに石棺の中に三重の人型棺が納められていた。三重目は純金製で、その中から黄金のマスクを被ったツタンカーメンのミイラが眠っていた。数千点に及ぶ副葬品の記録作成と搬出作業に、十年という膨大な時間を費やしたということである。

現在、玄室には棺から取り出されたミイラが展示されている。十九歳で死去したといわれているツタンカーメンには謎が多いとされているが、ミイラなどの様々な調査から、他殺ではないということが判明した。さらに、左足に疾患を抱えていたこともわかり、副葬品の中に描かれた杖をつくツタンカーメンの姿と一致するという。

現在、カイロのエジプト考古学博物館でその副葬品の数々を見ることができる。

アル・クルン山の山裾につくられたハトシェプスト女王葬祭殿

■ネフェルタリ王妃の墓

エジプト各地に、神と自身の業績をたたえる数多くの巨大建造物をつくったラムセス二世。王の寵愛を受けていたのがネフェルタリ王妃である。ネフェルタリという名前は「美にふさわしいもの」という意味があるとい い、その美しさから古代エジプトでは「愛と美の神」と崇拝されていたハトホル神と同一視されて描かれたりしている。

墓は一九〇四年にイタリアの考古学者によって発見されたが、石灰岩の質が良くないため、石膏を分厚く塗り、その上から壁画が描かれている。発見後に壁画が剥離し始めたため、一九五〇年代に壁画修理が施された。

壁画の劣化を防ぐため、一日の入場者数が制限され、入場料も高額であるが、内部の壁画は修復された当時のままの姿を観ることができ、ひときわ美しい。

■ハトシェプスト女王葬祭殿

エジプト唯一の女王であるハトシェプストは、夫のトトメス二世死後、幼いトトメス三世の摂政となり、後に自らファラオとなった。

歴代のファラオと同様に彼女も建設事業に傾注し、カルナック神殿に「赤の祠堂」を建立し、オベリスクを四基建てた。ヌビアやシナイでも建設活動を行ったが、最大の建物がこの葬祭殿で、優美な三段テラスを持つ造り

天空の神・ホルス神に導かれるネフェルタリの壁画

ネフェルタリの墓の玄室の壁画

最上階の第三テラスにはハトシェプスト女王の顔をしたオシリス神像

石灰岩の岩肌が美しいラモーゼの墳墓

となっている。

後にトトメス三世により、彼女の関わったすべての建物において「記憶の抹消」が行われ、この葬祭殿でも彼女を描いた像やエジプト古代文字がかき消され、彼女の彫像も破壊されてしまっている。

ここは、一九九七年十一月に起きたイスラム原理主義過激派「イスラム集団」によるルクソール事件の現場となったところでもある。外国人五八人を含む六二人が犠牲となり、その中に十人の日本人観光客らが含まれていたことで記憶に残っている方も多いに違いない。

■**貴族の墓（ラモーゼ墳墓）**

アメンホテプ三世から四世の時代に宰相であり、テーベの市長も兼任したラモーゼ。当時の王がテーベから別なアマルナという場所に都を移したことがきっかけとなって、ラモーゼもそこに移って新しい墓を作ったために、未完成のまま放置されている。

各部屋は良質の石灰岩の岩盤であるため、レリーフが美しい。ラモーゼの髪のレリーフで見るように細やかで優美な表現であり、当時の彫刻技術がかなりハイレベルだったことが分かる。また、彫りかけのレリーフでは下書きや線画がそのまま残っているため、レリーフの手順を推測することができ、興味深い。

目を強調するために目と眉だけ彩色されたラモーゼのレリーフ

ラモーゼの墳墓に残された制作途中のレリーフ

五、ナイル中流域の神殿

神殿は神の家であり、その神に対して儀式を執り行う場である。ナイル流域では、初期の神殿の上に後世の神殿が繰り返し建て替えられていき、地方において神殿は重要な意味を持っていた。

新王朝時代になると各地に立派な石造りの神殿が建てられ、壁面に描かれた神々に供物を捧げる王の姿や異国の民を打ち負かす場面の画が、王を中心とする国家宗教のイメージを誇示する役割を果たしていた。神殿は国家にとって宗教だけではなく、政治や経済の地方の拠点として機能していたという。

■カラプシャ神殿

新王国時代・第十八王朝に、ヌビアの豊業神マンドゥリス（エジプトのホルス神にあたる）を祀るために砂岩の採石場だったカラプシャに建造された神殿。後期プトレマイオス朝時代から古代ローマ時代にかけて再建された。アスワンハイダム建設による水没から免れるために、

カラプシャ神殿・第１塔門

カラプシャ神殿・第２塔門

コムオンボ神殿・2つの入り口を持つ

ドイツの支援により、本来の場所から約五〇キロ移動して建てられた。全長七七メートルでヌビア地方ではイシス神殿に次ぐ大きさである。

■コムオンボ神殿

アスワンの北約六〇キロに位置するコムオンボ村。「金の丘」という意味を持つ村の名前は金鉱山のルート上の要所であった。ナイル川東岸にあり、エジプト東部砂漠から産出した金のルートだったと思われる。プトレマイオス朝時代に建造され、古代ローマ時代に増築された。ワニ頭のセベク神とホルス神の二神を祀っているため入り口が二か所のつくりとなっている。使用された主な石材は砂岩であるが、出入り口などの重要な場所にはアスワンの赤花崗岩が用いられている。

床にはインド・エローラ石窟寺院の仏教窟でも見かけた窪み模様が刻まれた箇所があり、ガイドによると当時ゲームをした穴であるとのこと。エローラの仏教窟は紀元後五～七世紀の建造物であり、建設時代の時期は符合しないので、後世にここを住居などに利用した人たちが遊んだ跡だと思われる。ガイドはゲームだといったが、お金をかけて遊ぶ「博打」の跡だと推測した。

■ホルス神殿

アスワンとルクソールの中間地点の町、ギリシア・ローマ時代には州都でもあったエドフに建設されたホルス神殿。プトレマイオス朝時代に一八〇年の歳月をかけて建造された。高さ四四メートルの塔門など、全体的にほぼ無傷であり、最も保存状態の良い神殿の一つであるが、エジプトを支配するためにやってきたキリスト教信奉者によって、神殿に彫刻されたレリーフの多くが破壊されている。

神殿の中心部には至聖所が設けられ、花崗岩の台の上にレバノン杉で造った聖船が置かれている。建物に必要な木材や家具、ミイラを安置する棺などは主にシリアのレバノン杉が用いられているが、建材になるような木材が少ないエジプトではレバノン杉は貴重品であった。

インド・エローラ仏教窟に残されたゲーム跡の窪み模様

コムオンボ神殿・神殿の床に残されたゲーム跡の窪み模様

ホルス神殿・第1塔門

■ハトホル神殿

ルクソールから北に約六〇キロ、ケナの町にあるハトホル神殿。起源は古王国時代だが、現存する神殿はプトレマイオス朝時代から古代ローマ皇帝アウグストゥスとネロの治世までに完成した。

列柱室の天上は空を表す水色で彩色され実に美しい。また、列柱の柱本体や台座には神殿のご利益にあやかろうと石を削り取った痕が多数残っていて、古代エジプト神に対する当時の人びとの熱心な信仰心が読み取れる。

神殿は、後世の人びとがここを住まいに利用したために、美しい水色の天井はススで真っ黒になっているところが多くみられ、現在修復工事中である。また、ここでも床にゲーム用の窪み模様が確認された。

ホルス神殿・列柱室

ホルス神殿・至聖所に安置されたレバノン杉製の聖船

■アビドス神殿

ルクソールから北西に約一〇〇キロ、ナイル川西岸の砂漠に位置するバリアーナ村にある冥界の支配者オシリス神の墓所であった場所に建てられた神殿。紀元前二千五百年頃の古王国時代にオシリス信仰が盛んとなり、ファラオが亡くなるとオシリス神に変容するという教義が確立し、オシリス信仰の総本山というべき神殿となった。死後の復活を祈願するために歴代の王や貴族たちが神殿の造営に当たり、聖地となった。

ハトホル神殿通路の砂岩性の敷石。施工時に利用したと思われる加工跡が見られる

ハトホル神殿・第１塔門

ハトホル神殿・列柱室。柱や台にはたくさんの削り痕

廊下の壁面には、初代ファラオから始まる歴代諸王の名が順に刻まれた「アビドス王名表」が描かれており、エジプト王朝の系譜を今に伝えている。

アビドス神殿周辺には、プトレマイオス朝から古代ローマ時代に至るさまざまな時期の墓地が多く造られており、古代の歴史を解明するうえで非常に重要な場所として、現在でも考古学者によって発掘が続けられている。

参考文献

・古代エジプト文明社会の形成　高宮いずみ著　京都大学学術出版会

ハトホル神殿列柱室の天井。星座が描かれ両端には女神ヌウト

アビドス神殿・第１塔門

耐震のためか一枚石で造られたアビドス神殿の重厚感のある土台石

六、サッカラ街道のピラミッド

紀元前三千年頃、初期王朝時代のエジプトは高度に組織化された社会を構成し、行政をつかさどる王や官僚たちは日干しレンガ造りの巨大なベンチ式マスタバ墳を作るようになる。マスタバ墳は、地上に礼拝所や副葬品を納める貯蔵室を造り、ミイラを納めた地下埋葬室と坑道でつながっている形式の墓である。

紀元前二九五〇年頃のデン王の埋葬室の床には赤花崗岩が敷かれていたり、同じデン王時代の官僚墓の埋葬室入り口には巨石が落とし戸に使われていたりした。このような石材の部分的な利用から、この時代にはすでに石材の加工と運搬の技術が相当に発達していたことが考えられる。

階段ピラミッド。右側には周壁の一部が見える

入り口から葦をモチーフにした列柱通路を進んでいく（階段ピラミッド）

石灰岩で造られた入り口部分の階段ピラミッドの周壁

紀元前二千七百年頃の第三王朝時代になると、これまでのマスタバ墳を増改築し、太陽に登って行くような形の画期的な階段式ピラミッドが生み出された。

エジプトというとピラミッドをイメージする方が多いが実際に訪れてみるとわかるのだが、ピラミッド単体では存在しない。ピラミッドが周壁で囲まれていたり、小型のピラミッドや葬祭神殿、河岸神殿、参道などの施設が周辺に造営されたりしていて、これらを含めてピラミッド複合体と呼ばれている。

■階段ピラミッド

エジプトで最初に建てられたピラミッドが、高さ六二メートルの第三王朝最初の王ジョセルの階段ピラミッドである。ピラミッドは六段の階段状になっており、石灰岩で造られた正方形のマスタバ墳に増改築を重ねてつくられている。地下には深さ二八メートルの巨大な坑道が造られ、奥に赤花崗岩で築かれた玄室や玄室を取り巻く多数の部屋が設けられている。

ピラミッド周辺には葬祭神殿など様々な施設が造られ、それを南北五四メートル、東西二七七メートルの巨大な壁で周りを囲む造りとなっている。入り口には、柱の形が原初の海に生えるパピルスからきているといわれる列柱通路が設けられ、そのモチーフが後の各神殿の列柱に受け継がれていくことになる。

このピラミッドはそのすべてが石灰岩で築かれた最初の石造建築物である。これほどの巨大な石造建造物を実現するには、高度な石材加工技術や建築技術が必要であり、同時に資材の調達能力や労働者を組織的に動かす統制力が無ければ実現は不可能である。そこには王を頂点とする強力な王権国家の誕生が読み取れる。

二〇二〇年、十年余りの修復期間を経て公開が再開された。

■屈折ピラミッド

高さ一五〇メートル、底辺が一八九メートルで、クフ王の父である第四王朝最初の王スネフェルのピラミッドが屈折ピラミッ

途中で傾斜角度が曲がっている屈折ピラミッド

階段ピラミッドの南墓には竪抗が地下に向かって造られ、底部には赤花崗岩の巨大なブロックを重ねた石棺がある

今にも崩れ落ちそうなところは応急的な支えが施されている（屈折ピラミッド）

ブロック状の石灰岩が内向きに積まれている屈折ピラミッドの外壁材

ドである。屈折のピラミッドはその名の通り途中で傾斜角度が折れていて、下の方の石は内側に向かって斜めに積まれているが、上の方は平積みとなっている。この理由は、同じ頃に石が内側に向けて積まれて建設された別のピラミッドが完成直後に崩落したために、同じ工法でこのまま積んだのでは崩落の可能性があるということで、途中で積み方と傾斜角度を変更したのではないかと考えられている。

■赤いピラミッド

同じスネフェル王によって建てられ、初めて完成した二等辺三角形の形をした真正ピラミッドが赤いピラミッド。赤いピラミッドは付近で採石した石灰岩を建設資材としたものであり、風化で茶色くなった資材が、太陽の光を浴びて赤く輝いたのでこう呼ばれている。傾斜角度を一直線にそろえ、基礎部から頂部まで石灰岩のブロックを水平に積んでおり、ギザのクフ王のピラミッドに次ぐ規模のピラミッドである。

屈折ピラミッドの内部玄室への入り口

傾斜角度が他のピラミッドよりは緩やかであるが、その理由は、建設された岩盤があまり硬質でなかったためと考えられている。

玄室は地上よりも上に造られ、玄室の天井に長い板状の石を一段ごとに内側へ張り出させて積んでいく「持ち送り積み天井」を採用して、天井にかかる重量の軽減を図った建築工法を用いており、建築技術に一層の工夫が凝らされている。

スネフェル王は、さまざまな試行錯誤を繰り返しながら、生涯五基のピラミッドを建設した。この結果が、エジプトの古代文明を象徴するようなギザの三大ピラミッド建設に受け継がれていくことになる。

■メンフィス野外博物館

国家統一がなされた第一王朝（紀元前三〇〇〇年頃）時代から古王国時代（紀元前二一三〇年頃）までの王都であったメンフィス。上下エジプトの境界の地でもあり、ナイ

赤いピラミッドに積まれた石灰岩はかなり風化している

角度が緩やかな赤いピラミッド

遠くに見える崩落の激しいピラミッド。このような様々な試行錯誤がありギザのピラミッドが完成していく

階段ピラミッド付近に建設されたが、崩れてしまったウナス王のピラミッド

ル川デルタ地帯の要衝の地に形成されたサッカラ街道の都市として栄えた。数多くの工房、工場、倉庫が存在し、王国全体に食料や物資を流通させていた。
付近の遺跡からはラムセス二世の巨像や赤花崗岩の巨大な柱の台座、長さ八メートルのアラバスタ一枚石で造られたスフィンクスなど、当時の繁栄ぶりを示す様々なものが発掘され、現在、この博物館に展示されている。

参考文献

・ピラミッド　河江肖剰著　新潮文庫

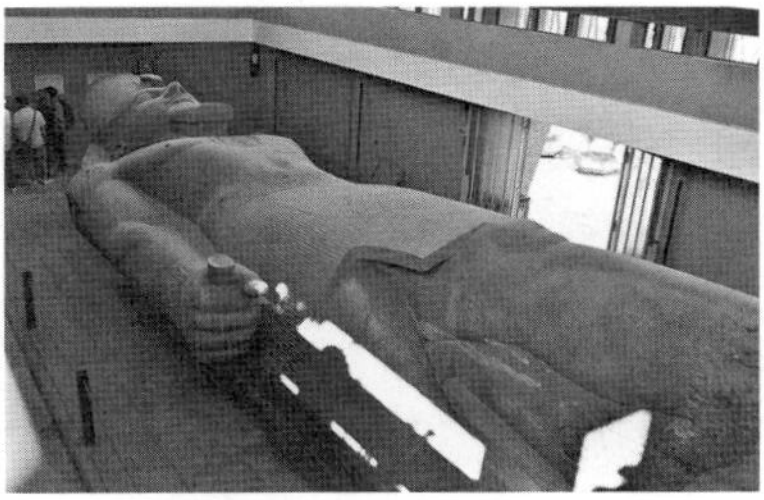

1821年に発見されたメンフィス野外博物館のラムセス二世の巨像

一枚石で造られたメンフィス野外博物館のスフィンクス

激しい力で彫られたノミ痕が残る赤花崗岩製の石棺（メンフィス野外博物館）

七、ギザのピラミッド

約四千五百年前の第四王朝になると、太陽神「ラー」が最高神として崇められ、その信仰は最盛期を迎える。真正ピラミッドは太陽の光であり、ラーの化身として現世に現れたファラオの象徴であった。

クフ王がピラミッド建設の用地として選んだのは、巨大なピラミッドの重量に耐えうる強固な石灰岩の岩盤台地のギザであった。その地はまた太陽神の総本山ヘリオポリスを崇められる場所でもある。さらには、当時はナイル川が近くを流れており、その水運を利用して、建設に必要なさまざまな物資や建設に携わった多くの人々の生活物資を運び込む上で、その場所は利便性に優れていた。建設用地として岩盤を均す

ギザの三大ピラミッド。右からクフ王、カフラー王、メンカウラー王のピラミッド

作業を兼ねながら、ピラミッド建設に必要な石灰岩の用材を切り出して建設が進められていった。

■クフ王のピラミッド

高さ一四六メートル、底辺二三〇メートルの人類史上最大の建造物、クフ王のピラミッド。平均二・五トンの石を約三〇〇万個積み上げて造られているとされ、基底部には十五トンを超える石もあるといわれている。ピラミッド内部は地下の玄室、女王の部屋、王の間、大回廊などがあり、最近、日本の調査団によって、その他にも王の間の上方に未知の空間が存在するという報告がなされ、注目を浴びている。

何者かによって開けられた古代の盗掘穴があり、そこから内部に入っていく。天井の低い窮屈な通路を進ん

石灰岩の岩盤の上に建設されている。すぐ近くまでギザの町が迫る

基底部に当時のままの化粧石が残るクフ王のピラミッド

盗掘用に開けられた穴から内部に入る。画像の上辺には外壁が破壊され内部構造が現れている箇所が（クフ王のピラミッド）

でいくと、高さが九メートルもある大回廊にたどり着く。

大回廊の天井は先代のスネフェル王の建築技術である「持ち送り天井」となっていて、壁には石灰岩のブロックがまるで一枚石であるかのように積まれている。

さらに進むと、石の落とし込み仕掛けが設けられた入り口があり、「王の間」と呼ばれる玄室にたどり着く。王の間は全体が巨大な一枚石の赤花崗岩のブロックで積まれてつくられており、ノミによる加工では不可能なくらい平らで、石と石のすき間が全くない状態。切断加工された石材が使われているとしか思えない。大回廊の石灰岩の積み方とともに当時の石の加工技術の高さが驚異的である。

石は性質上、硬いがもろい面を持ち合わせている。設置時に石を横移動させると、石と石の面がこすれて角

クフ王ピラミッドの大回廊。石灰岩の石積みが「持ち送り天井」の構造となっている

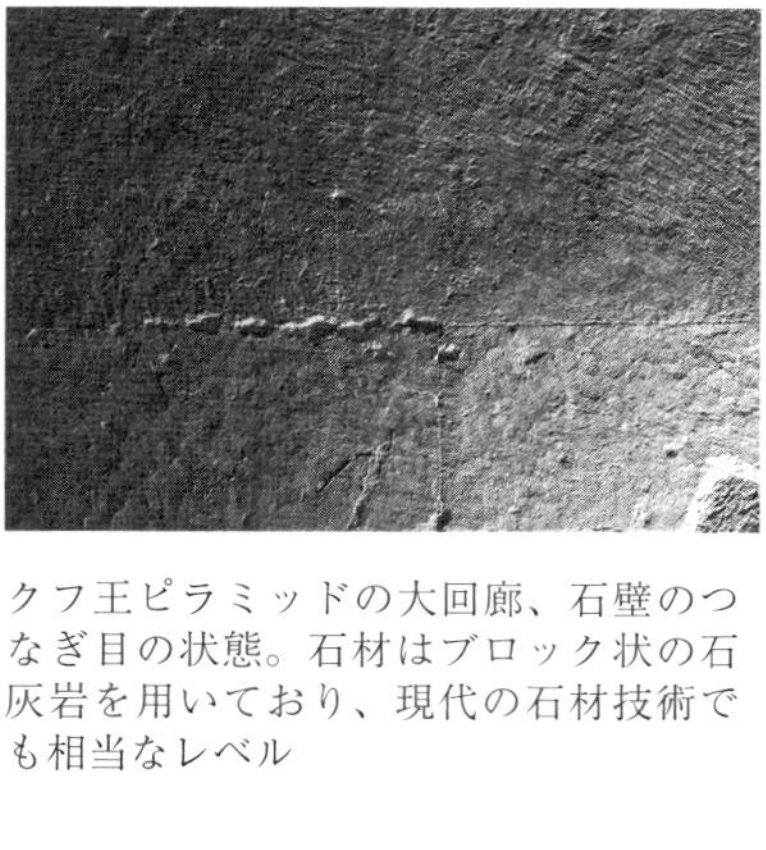
クフ王ピラミッドの大回廊、石壁のつなぎ目の状態。石材はブロック状の石灰岩を用いており、現代の石材技術でも相当なレベル

が欠けやすい。石の隙間には角面が破損しているところが全く見当たらないことから、当時のエジプトでは考古学的には認められていない起重機のようなものが使われているものと思われる。また、石の吊り上げ作業には当然ロープが使用されるが、石の角面の欠け防止のために何かしらのクッション材をあてる必要がある。使われたロープは帯状のものだった可能性もある。

玄室の壁には二か所の通気口が設けられている。入り口に近い通気口は当時のままだが、反対側の通気口は十九世紀にイギリスの調査隊によってダイナマイトで破壊され、現在そこには換気扇が取り付けられている。調査当時、その通気口の石組みの中に鉄製の板がはめ込まれており、それを取り出すために破壊したというのだ。

クフ王のピラミッド南側の玄武岩の床が設けられた葬祭神殿

明らかに切られた痕跡がある玄武岩の床。よく見ると画像中央に成形するために何度か切った痕が確認できる(クフ王のピラミッド)

クフ王ピラミッドの西側には石灰岩が切り出し途中で残されている

爆破された後に換気扇が取り付けられているもう一方の通気口（クフ王のピラミッド）

玄室の位置口付近に設けられた通気口（クフ王のピラミッド）

四千五百年前には、人工鉄の存在は考古学的には無かったとされているのだが、その鉄板が隕鉄か人工鉄か、はっきりとした調査結果は出ていないという。現在、その鉄板は大英博物館が所有している。

さらに蓋のない状態で置かれた赤花崗岩の石棺をよく観察してみると、外側の面がまっ平らで、切られたような筋状の痕が残っている。金属製のノコギリと硬い砂（金剛砂のようなもの）を用いて実際に切ったものと思われる。当時石を切る技術があったとするならば、玄室全体を覆っている赤花崗岩や、大回廊の石灰岩も切っていたとも考えられ、合わせ目がまるで一枚石のようになっているのも納得がいく。さらに石棺の中にはドリル痕のようなへこみがあり、イギリス人の実験考古学者・ストックスの書物によると、「石棺の中の加工は直径十一センチほどの筒状のドリルが連続して使われている」ということである。

ピラミッド内部も驚異的だが、クフ王のピラミッド外部に設けられた葬祭神殿の床全体が分厚い玄武岩で石組みされている。この床石に使われた玄武岩にも切った痕が数多く残っていて、「四千五百年前には硬質の石を切る技術や、さらにドリルによる穴開け技術が確立されていた」と言って良い状態であったと思われるのである。

玄室に置かれた赤花崗岩製の石棺（クフ王のピラミッド）

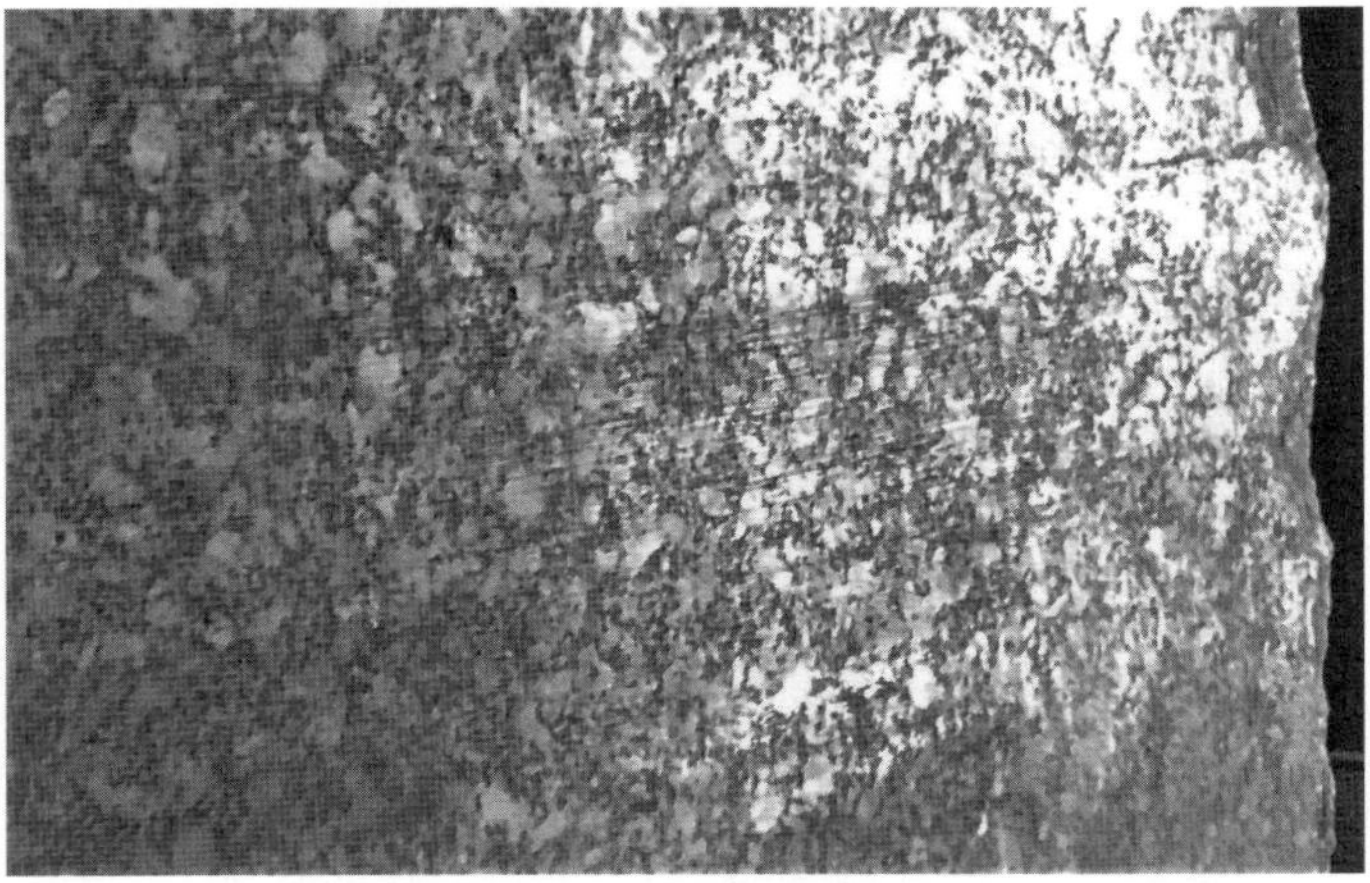

石棺に残された水平に筋状になって残る切断加工の痕（クフ王のピラミッド）

■カフラー王のピラミッド

クフ王の二代後のカフラー王が建設したこのピラミッドは、クフ王のピラミッドより、少し小ぶりであるが、十メートルほど高い場所に築き、傾斜角度を若干、急にすることによってクフ王のピラミッドの高さを凌いでいる。

内部構造は、地上よりも高いところに玄室などの空間がなく、シンプルな造りとなっているが、ピラミッドの基底部数段には赤花崗岩を用い、付属施設にスフィンクスを設けており、さらにその近くには赤花崗岩をふんだんに使用した河岸神殿を建設するなど、王としての権威付けのための意匠が見られる。

■メンカウラーのピラミッド

カフラーの息子であるメンカウラー王のピラミッドも石灰岩の岩盤の上に築かれたが、安定した岩盤の面積が少なかったために、ギザのピラミッドの中では最小のピラミッドとなっている。

それでも、ピラミッド基層部から十六段まで、アスワン産出の赤花崗岩を化粧石に使用したり、玄室の石棺は玄武岩を用いたりと、相当の労力と技術が結晶されたものとなってい

頭頂部には当時は白く輝いていたという化粧石が残るカフラー王のピラミッド

カフラー王の河岸神殿では、石積の強度を高めるために赤花崗岩がＬ字に加工されている

る。

基底部に積まれた赤花崗岩の表面をよく見ると、積み上げの時にロープを引っかける際に使用したこぶのような出っ張りが確認でき、ここでも起重機が使われた跡が見て取れる。

参考文献

・EXPERIMENTS IN EGYPTIAN ARCHAEOLOGY
D.A.Stocks Routledge
・ピラミッド・タウンを発掘する　河江肖剰著　新潮社

赤花崗岩の化粧石が用いられているメンカウラー王のピラミッド。表面にはロープに引っ掛けて設置したような加工跡が残る

八、　エジプト考古学博物館

古代エジプトの貴重な発掘品を展示しているエジプト考古学博物館は、カイロの新市街中心部に位置する。ミイラや石棺など、様々な埋蔵品や歴代ファラオの石像、ツタンカーメンの秘宝など、収蔵点数は二〇万点にも及び、館内にひしめき合うように展示されていて、実際にどこから観ていいのか圧倒される。

一階は時代別に、二階はツタンカーメンの秘宝を中心に展示しており、ガイドブックを片手に丸一日かけて館内を観て回った。膨大な展示品の中で、個人的に関心がある石材加工技術に関する展示品を何点か取り上げて紹介する。

なお、建物の老朽化に伴い博物館が再編成され、二二体のファラオのミイラが二〇二一年に現在の場所から五キロ離れたエジプト文明博物館に運ばれて展示されている。さらにギザに建設中で、二〇二三年の秋にオープン予定の大エジプト博物館に約

エジプト考古学博物館、１階中央のギャラリー

一〇万点が引き継がれる予定とのこと。

■カフラー王の座像

資料によると素材は、閃緑岩とか片麻岩とかと表記されているヌビア地方で採れたこの地方で最も硬質な石材である。いずれにしても欠けた左足の断面から察すると、変成作用を受けた相当に硬そうな石だ。そのような石を用いて、カフラー王の威厳を表すのにふさわしい見事な仕上げである。

しっかりと磨き上げられた表面の一部には整形時に用いられたノミ痕が残されている。底辺部に目を移すと、残されたノミ痕がはっきりと確認できる。そのノミ痕を細かく観察すると、ノミ先は丸ではなく、長方形に尖らせたものを使用していたと思われる。

このような硬質の石に食い込むような痕が残るということは、ノミ先が鋼のような硬質のものでなければならない。青銅器しかなかったとされる古代エジプトでどんな道具が用いられていたのであろうか、疑問が深まるばかりだ。

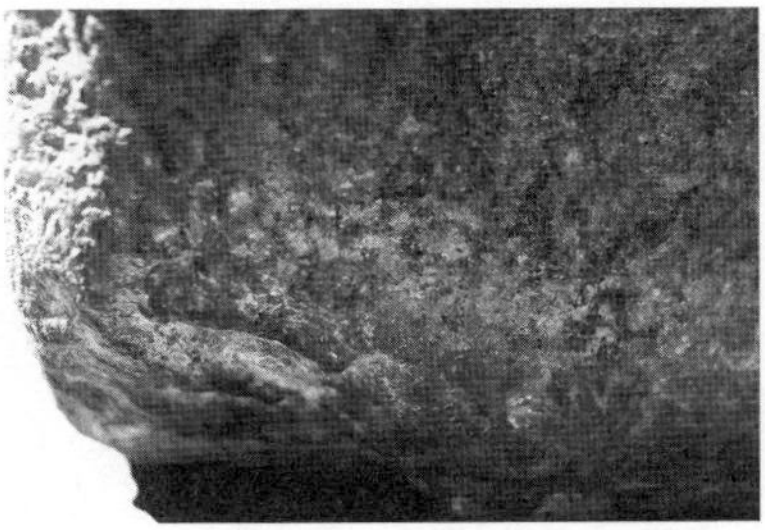

カフラー王の座像の下の後ろ部分に残るノミ痕から様々なことが読み取れる

変成作用を受けた硬質の石で作られたカフラー王の座像

■切りかけのホルジェデフの石棺

アスワン地方の赤花崗岩でつくられたクフ王の息子、ホルジェデフの石棺は底の面が確認できるように横向きに展示されている。一見してノコギリのようなもので切断され、板の部分が途中で折れているのがわかる。資料によると、「石棺の蓋の部分を切り取ろうとして途中で壊れたもの」という。

断面をよく観察すると、向かって右側の部分は縦に筋状の切り痕がついており、最初は立てて切ったものと思われる。不思議なのは、折れた付近の切り痕が横に付いているのだ。折れ残った部分を横切りしたら、切り口が横方向に通っていなければならないのに、切り口は通ってはいなく、途中で止まっているのだ。どうしたらこのような切り痕が残るのであろう。チェンソーのように切る道具を使ったのであろうか。謎の切り痕である。

蓋を取ろうと切断し、蓋の部分が折れているホルジェデフの石棺

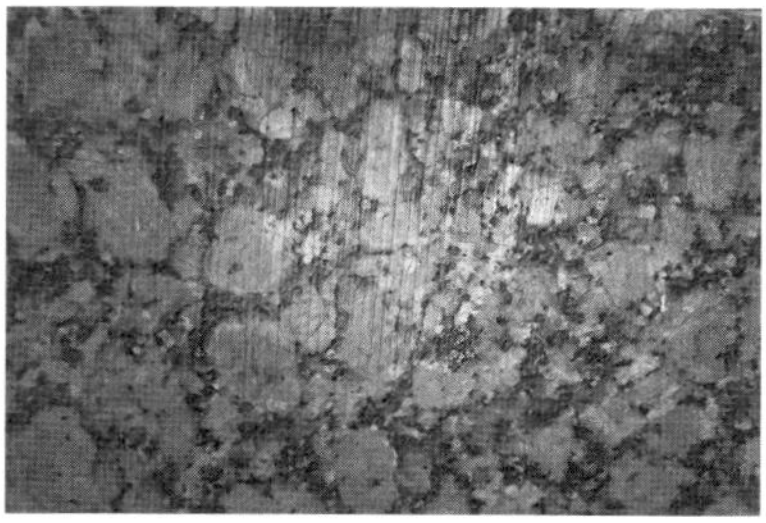

ホルジェデフの石棺に残された縦目の切断痕

ホルジェデフの石棺の折れたところは横眼の切断痕になっている

■石棺の留口加工に残されたドリル痕

二階のツタンカーメンの展示コーナーに玄武岩製の石棺が置いてある。蓋が容易に外れないような外れ防止の細工が施されている。

欠けている部分の加工痕をよく見ると、蓋の部分と石棺本体部分に小さなドリル加工を連続して行ったものと分かる。石棺の薄い箇所に連続して正確に開けなければならず、技術的にはかなりの精度が要

2階、ツタンカーメンの展示コーナー付近に置かれた石棺。写真左の加工部分が壊れ、加工の状態が見えている

壊れた蓋石の加工部分から、石棺にもドリル穴加工が施されているのが確認できる

求される。当時のドリル加工はどんな仕掛けだったのであろうか、刃先はどんなものであったのであろうか、興味が尽きない。

■壺の加工

出口付近の通路に置かれた高さ六〇センチ程度の石の壺、素材はカフラー王の座像と同じ変成作用を受けた硬質の石材である。壺の内側の加工が気になって中を覗いてみた。よくみると、穴の底面にドリルで開けたような加工痕が残っている。四か所ははっきりと確認できるが、さらにドリルで穴の大きさに合わせて開けたような痕も。いずれにしても、硬質の石に対して深さ六〇センチの穴を開けるためには、強力な動力でしっかりと垂直に開ける精度が求められ、技術的に難易度が高い。ドリルで開けた後の加工は、ノミを使って整形をしたものと推定するが、そのノミ加工の痕が全く見えないのが驚異的であり、加工技術の高さと相当の労力が察せられる。

出口付近の廊下に展示されている石の壺。石はカフラー王と同質

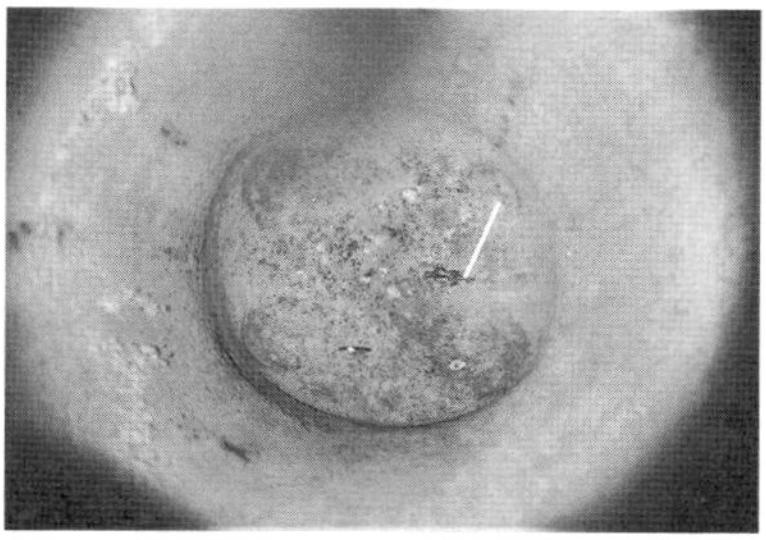

石の壺の中の加工状況。底面に残されたドリル跡とともに側面には砥石で削られたような筋状の痕がかすかに付いているように見える

最終的な仕上げは、砥石で削ったような筋状の痕がかすかに確認できるが、その痕が正確な円ではない。旋盤のようなものに砥石をつけて加工した可能性も考えられる。

■石材加工道具の展示

博物館には様々な副葬品のほか、発掘調査で出土した興味深いものも数多く展示されている。石材加工に使用した道具類の展示もその一つである。

ノミやバール、クサビなど展示されている金属製は全て青銅器で、ハンマーは木製である。おそらく、青銅器のノミを青銅器のハンマーで叩いたのでは衝撃が強すぎてノミの先が持たないのであろう。青銅器のノミの強度に合わせて木製のハンマーを使用したものと思われる。しかし、加工が容易な石灰岩や砂岩には有効であるが、硬い花崗岩や玄武岩には効かない。木のハンマーでは衝撃が弱く、全く歯が立たないと思われる。

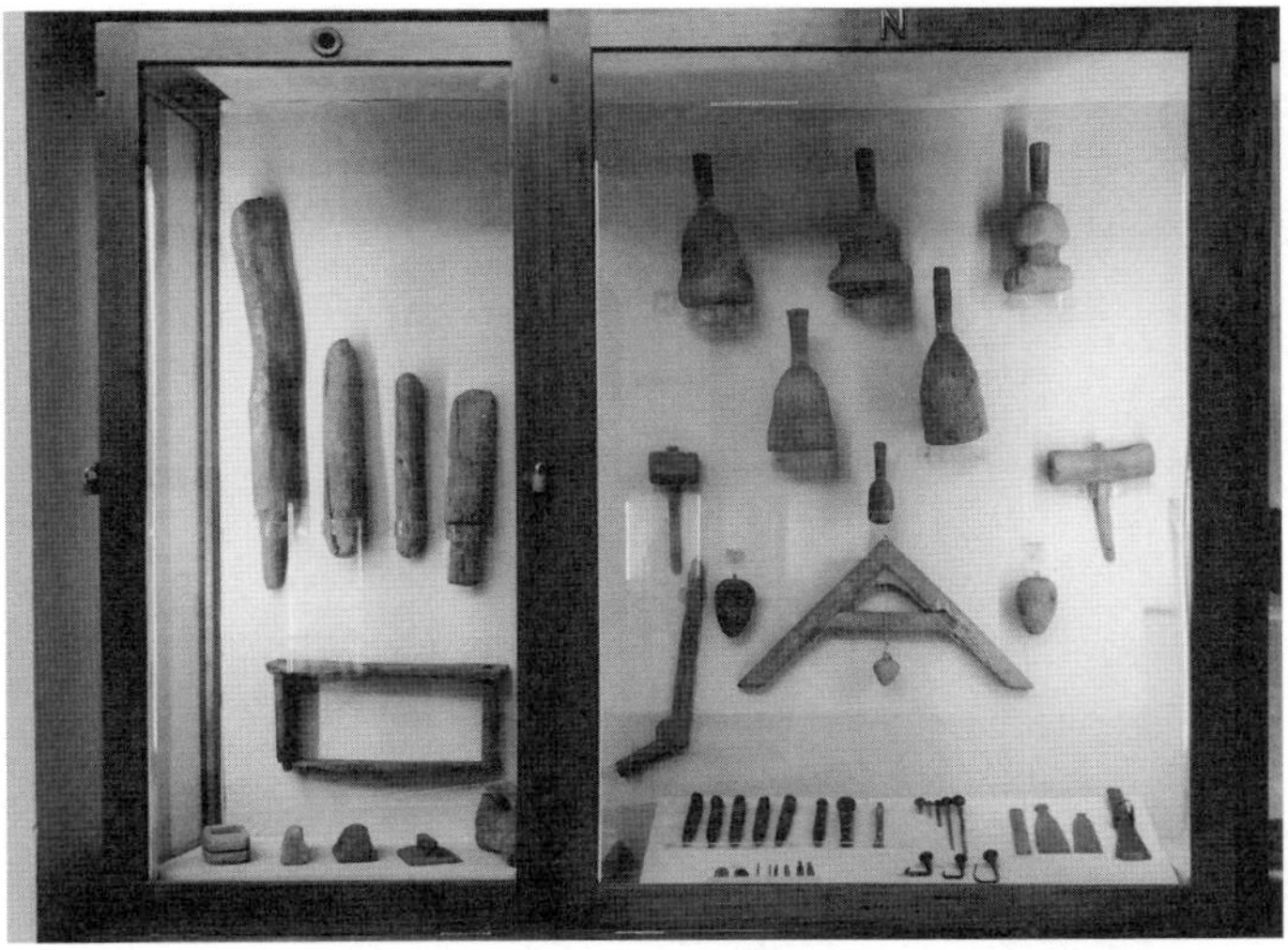

木製のハンマー他、石材加工に使用された各種の工具が展示されている

加工の状況から鉄器、それも鋼の存在が不可欠であると推測するが、果たして五千年前に始まったとされる古代エジプト時代には、鉄器が存在していたのであろうか。興味が尽きないが、前述のとおり考古学的には否定されている。

青銅器のノミも各種展示。これ以外にも様々な形のノミが展示されていて、制作過程の各場面によって細かく使い分けていた様子

かなり荒々しくノミで成形されている制作途中の荒成型の石像

石壷の中に残る砂を使った加工の様子。中で開く仕掛けを持った旋盤のようなものを用いたか

トルコ編

古代からヒッタイト、フリュギア、リディア、東ローマ帝国（ビザンツ帝国）など様々な民族・文明が栄えた地であるトルコ。古代の石材加工技術の検証を深めるために、石材加工に欠かせない鉄器を発見したとされるヒッタイト帝国の各遺跡をはじめ、最近注目されている古代遺跡の発掘現場を訪ねてみた。

一、 南東部アナトリアの遺跡

「肥沃《ひよく》な三日月地帯」として知られるユーフラテス川上流域に位置し、シリア国境に接する南東部アナトリアは、古代からシリア、メソポタミア、エジプトの世界の中に組み込まれ、様々な民族と物資が行きかった地域である。

紀元前千六百年頃に始まったとされるヒッタイト帝国はこの地に拠点を築き、エジプト王国やミタンニなどの列強と対峙するとともに、レバノンの杉や、キプロスの銅など、物資の入手を容易にした。

近年、人類史を変えるとして世界の注目を集めた巨石遺構が発掘されている。

■ギョベクリ・テペ遺跡

古代からの交易都市、シャンルウルファから北東に一八キロ離れたところに位置するギョベクリ・テペ遺跡は、一九九五年から二〇一四年までドイツの調査隊が発掘し、高さ一・五～六メートルのＴ型の石柱で囲まれた

ギョベクリ・テペ遺跡の重要な部分は屋根に覆われている

石壁で各部屋が区切られている（ギョベクリ・テペ遺跡）

巨大なＴ型石柱。側面にはオオカミと陰部を押さえた腕のレリーフが（ギョベクリ・テペ遺跡）

神殿跡とみられる遺構が六基発見された。

石柱は約一二〇本確認され、ライオンやオオカミなどの浮彫が施されたものもある。遺構は直径三〇〇メートルにも及び、現段階までに石柱で囲まれた遺構が二〇基、石柱は二〇〇基ほど確認されている。高さ六メートル級の石柱は重さが約二〇トンもあるという。

この遺跡の建設年代は放射性物質による年代測定で、約一万二千年から一万年前位に建設されたものとみられ、新石器時代の狩猟採集社会の認識を大きく変える遺跡として二〇一八年に世界遺産となった。五千年前の巨石建造物とされるイギリスのストーンヘンジや四千五百年前の建造物とされるエジプトのピラミッド、あるいはメソポタミアの都市国家遺跡より七千年ほど古く、また人類が農耕や牧畜を始めたとされる時期からしても二千年以上さかのぼり、人類史を根本から見直す可能性を秘めた遺跡として注目されている。

遺跡からは巨大な石柱ばかりではなく、人間や動物の彫刻、石器や骨角器、食料としていたと思われる植物や動物の骨などの遺物が見つかっている。

石材は石灰岩質で約一〇〇〜五〇〇メートル離れた採石場から切り出して建設している。石を切り出したり石柱に成型したりする作業は、非常に硬い玉髄質の石英であるフリント（火打石）で行われており、遺構や採石場から多数発見されている。

通常、フリントは硬度「六〜七」であり、硬度「三」前後である石灰岩を加工することは容易である。岩盤からの取り出しは、シャンルウルファの考古学博物館に斧のようなクサビ状の形をした石器が展示されていたことから、それらを岩盤に打ち込んで外すことは可能である。また、運搬にしても大勢の人間が力を合わせれば可能であろう。石を立てる作業は当時どんな工夫をしたのかは興味深い。

いずれにしても、神殿建設を思い立ち、構想を巡らせ、実際的には作業を指揮し労働力を統率するといった組織力が必要であり、当時すでに高度に発達した社会構成があったものと思われる。

遺跡自体は、何らかの原因で当時の人々がここから移動するときに、小ぶりの石灰岩で自ら丁寧に埋めていたことから、非常に良い状態のまま保存されていたが、なぜこれほどの建造物を埋めてしまったのかは解明されていない。

発掘調査は全体の5% 程。調査範囲は少しずつ広がっている（ギョベクリ・テペ遺跡）

全体がマウンド状になっているカラハン・テペ遺跡。調査はまだ始まったばかり

ギョベクリ・テペ遺跡と同じように石壁で区切られたカラハン・テペ遺跡

カラハン・テペ遺跡からも多くのＴ型石柱が発掘されている

■カラハン・テペ遺跡

ギョベクリ・テペから南東に三〇キロ離れたカラハン・テペ遺跡は、一九九七年にトルコの調査隊によって確認され、二〇〇本を超すＴ型の石柱が見つかった。この遺構が注目されるのはギョベクリ・テペと同じく、約一万二千年前の遺跡とされるからだ。しかも、世界遺産となっているギョベクリ・テペ遺跡より大規模ではないかとみられている。

両遺跡ともトルコのイスタンブール大学が発掘中で、日本の調査隊も磁気やレーダーを使い地中の遺構を調べる物理探査に参加している。遺跡付近には何か所もの遺跡が眠っているとみられる墳丘があり、これからの調査が待たれる。

最近の発掘では、高さ二・五五メートルの男性の彫像が、ベンチに座り地面にしっかりと固定された状態で発掘されている。肋骨、背骨、肩の骨が強調され、死者を連想させるようなこの時代最も大きな彫像であるとのこと。私が訪れた二〇二〇年十二月にはこの座像は発掘されておら

発掘途中なのか、壁に張り付いている頭部（カラハン・テペ遺跡）

ず、まさに現在進行形で調査が進んでいる注目の遺跡だ。

■シャンルウルファ考古学博物館

シャンルウルファ周辺の遺跡から出土した貴重な遺物を展示している。ギョペクリ・テペ遺跡から出土した発掘品を中心に、ヒッタイト帝国やアナトリアの歴史全般の展示物が見られ、二〇一五年にオープンした博物館。

入り口付近には、シャンルウルファ市内の「聖なる魚の池」付近で発見された世界最古の等身大石像といわれるウルファマンを展示。約九千年前のものであるという。口が省略されているが、目には黒曜石をはめ込むなどかなり写実的で、当時の彫刻意識や技術的な水準がうかがえる。

この博物館で最も見ごたえのある展示は、ギョベクリ・テペ遺跡を再現したコーナーである。実際の遺跡は、

9000年前の彫像、ウルファマン。腕が陰部に伸びている（シャンルウルファ考古学博物館）

ギョベクリ・テペ遺跡の実物大レプリカ（シャンルウルファ考古学博物館）

現場に柵が張り巡らされて中に入ることができないが、ここではレプリカで実物を忠実に再現しており、遺跡では確認が困難なレリーフの詳細がわかるのが嬉しい。また、高さが六メートルもある石柱の臨場感が実感でき、当時の人たちの神殿建設に懸けた思いや労力が伝わってくる。

神殿建設に使われた当時のフリント製などの石材加工道具の展示がしてあり、また石材の切り出し作業を再現したコーナーもあり、一万年前までさかのぼる石材加工技術を知るうえで個人的には大変見応えがあった。

参考文献

・地球の歩き方・イスタンブールとトルコの大地　ダイヤモンド社
・世界歴史の旅・トルコ　大村幸弘著　大村次郎写真　山川出版社

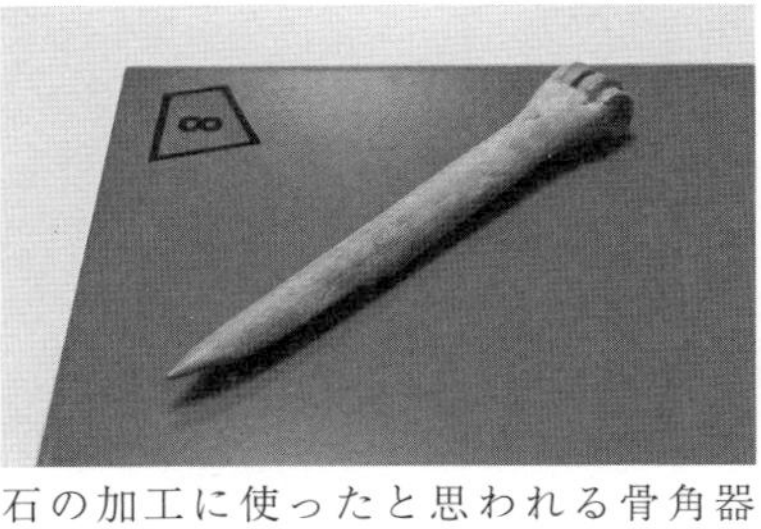

石の加工に使ったと思われる骨角器（シャンルウルファ考古学博物館）

石の加工に使ったと思われるフリント製石器（シャンルウルファ考古学博物館）

岩盤から石を切り出す作業の再現模型（シャンルウルファ考古学博物館）

岩盤から石を外す際のクサビとしても使えそうな斧の形をした石器（シャンルウルファ考古学博物館）

二、　中央部アナトリアの遺跡

人類史上初めて鉄を手にしたとされるヒッタイト古王国は、紀元前千六百年後半頃にトルコ中央アナトリア地方を本拠地として支配地を拡大した。その背景には、交易のために当時の先進国である古代アッシリアからやってきたアッシリア商人の存在がある。アナトリアで産出する大量の銅を目当てに行き来する彼らとの交易によって、さまざまな物資とともに技術や知識を得ることができた。

製鉄技術を独占していたヒッタイトは富を蓄積し、次第に強国となる。さらには北シリアに建国されたミタンニ王国から馬の調教技術を得て、馬と戦車による強力な軍隊を組織することでシリア地方を南下し、結果的

大神殿から見たハットゥシャ遺跡下の町の倉庫群。甕は穀物を保管した

建物の基礎石には石壁のずれ止め用に穴が開けられている（ハットゥシャ遺跡下の町）

ハットゥシャ遺跡上の町の獅子門

にエジプトとシリアの覇権を争うまでの勢力を持つに至った。

しかし、前千二百年頃、ヒッタイト帝国はなぜか突然に終焉を迎える。それに伴ってヒッタイトがそれまで秘密にしていた製鉄技術が各地に広まることとなり、世界は本格的な鉄器文明を迎えることとなったとされる。

■ハットゥシャ遺跡

ヒッタイト帝国の都は、アンカラから東に約一〇〇キロ、クズルウルマック河に囲まれた地域のボアズキョイ（現在のボアズカレ）という村にあった。ハットゥシャはその古代名である。

遺跡は下の町・上の町に分かれており、敷地は塀によって囲まれていた。北方からの防衛城塞都市として建設され、ここを拠点として鉄と戦車によって強大な帝国を築いて、古代オリエントの雄であるエジプトと対峙した。紀元前一二六九年のハットゥシリ三世の時に、エジプト王ラムセス二世との間に和平条約を結び、ヒッタイト帝国はシリアでの支配権を確保している。

遺跡の下の町には天候神と太陽神をまつる大神殿が建設され、それを倉庫群が取り囲むようにある。倉庫群の礎石には規則的に穴が開けられており、その上に立てられた石壁のズレを防いだものと思われる。そのような穴はこの遺跡の随所に見られ、穴開け加工は石材技術として確かなものとなっていたようである。実際に穴開け機を再現した模型がコルム博物館に展示されており、鉄製の円筒を回転させながら硬い石英質の砂を用いて開けていたことがわかる。

大神殿の近くには「カールム」と呼ばれるアッシリア商人の居住区もあり、当時、活発に交易がおこなわれ

繊細な獅子彫像の表面加工（ハットゥシャ遺跡上の町）

ドーム状に土を固めて積んだ突撃門の石積み（ハットゥシャ遺跡上の町）

ていたことを示している。

上の町には宮殿、神殿、獅子門、王門、突撃門、城塞などがあり、当時の石材技術や石に対する意識を探るうえで興味深い遺跡がたくさん残っている。

まず獅子門であるが、現在は両側に獅子が彫られた石の門が建っているだけだが、当初はアーチ状に石が組まれていたらしい。門の両側の石組みの一部には強度が増すように逆アールに石をえぐって加工したものを使っており、相当な労力を費やしていることがうかがい知れる。

また、一見おおらかに見える獅子門の表面は繊細で精緻な加工が施されており、石工の美意識が感じられてうれしい。

城塞から城外に通じている突撃門のドーム状の石組みは、自然石を巧みに組み合わせて作られており興味ぶかい。また王門においても石の用い方に当時の石に対する意識が感じられる。

絶妙な石組の王の門（ハットゥシャ遺跡上の町）

突撃門のドアを押さえた大き目の穴加工（ハットゥシャ遺跡上の町）

コルム博物館に展示されていた穴開け機の模型

■ヤズルカヤ遺跡

帝国の葬祭殿として建造されたというヤズルカヤ遺跡は、ハットゥシャ遺跡から北東に約一二キロ離れたところに位置している。

大回廊と小回廊があり、どちらにも神像が彫られた巨大な岩がある。大回廊の祭壇は大岩がL字型に切り取られ、それだけで神がかり的である。小回廊は十二神像が彫られた大岩の表面全体が磨かれているようでもあり、彫られた神像ばかりではなく石に対する信仰心のようなものが感じ取れる。

■アラジャホユック遺跡

ハットゥシャ遺跡から北に約三〇キロに位置するアラジャホユック遺跡。ヒッタイト帝国よりも千年以上も古い四千三百年から四千四百年前の遺跡だと考えられている。

遺跡はスフィンクス門から入る。その両側の壁はレリーフを施した石の板が飾られてい

ヤズルカヤ遺跡小神殿

大岩をL字型に成型した大回廊の祭壇
(ヤズルカヤ遺跡)

たが、オリジナルのものはアンカラのアナトリア文明博物館にあり、遺跡でみられるのはそのレプリカである。

門に彫られたスフィンクスの像はハットゥシャ遺跡で見た獅子像と、印象や技術的なところで加工における意識の共通性が感じられ、強大な帝国となったヒッタイトとつながる遺跡なのかもしれない。

門から進むと造形的でダイナミックな石組の壁があり、さらに石壁で区切られた神殿が建造されている。

その左手では五千年前の前期青銅器時代の遺構とみられる大墓が発見されている。墓からは金で作られた冠や装身具、銅製の剣や土器などが出土した。中でもスタンダードと呼ばれる銅製の造形物の意匠が素晴らしい。当時、金属による技術が高度に発展していたことがうかがい知れる。

この遺跡が注目されているのは、この墓から鉄剣が発見されたためである。ニッケル

アラジャホユック遺跡正面入り口のスフィンクス門

分が検出されていることから宇宙から降ってきた「隕鉄」だとされているが、剣にするまでの技術と知識が必要であり、その時代には金属や鉄に関する認識がかなり深かったと考えられている。さらに遺跡の近くからは、実際に鉄が作られていたことを示す鉄滓や炉跡までが出土している。

アナトリア文明博物館にはアラジャホユックからの出土品をはじめとして、土器、青銅器、石造物など人類の文明を知るうえで興味深い遺物が多数展示されており、中央アナトリアがかなり古くから開けていたと見られている。

アラジャホユック遺跡正面入り口に取り付けられていた石のレリーフ板（アナトリア文明博物館）

まるでインカの石組のようなアラジャホユック遺跡に積まれた壁石

アラジャホユック遺跡王墓に残された遺物の様子

参考文献

・アナトリア発掘記　大村幸弘著　ＮＨＫブックス
・鉄を生みだした帝国　大村幸弘著　ＮＨＫブックス
・ヒッタイトに魅せられて　大村幸弘・篠原千絵著　山川出版社

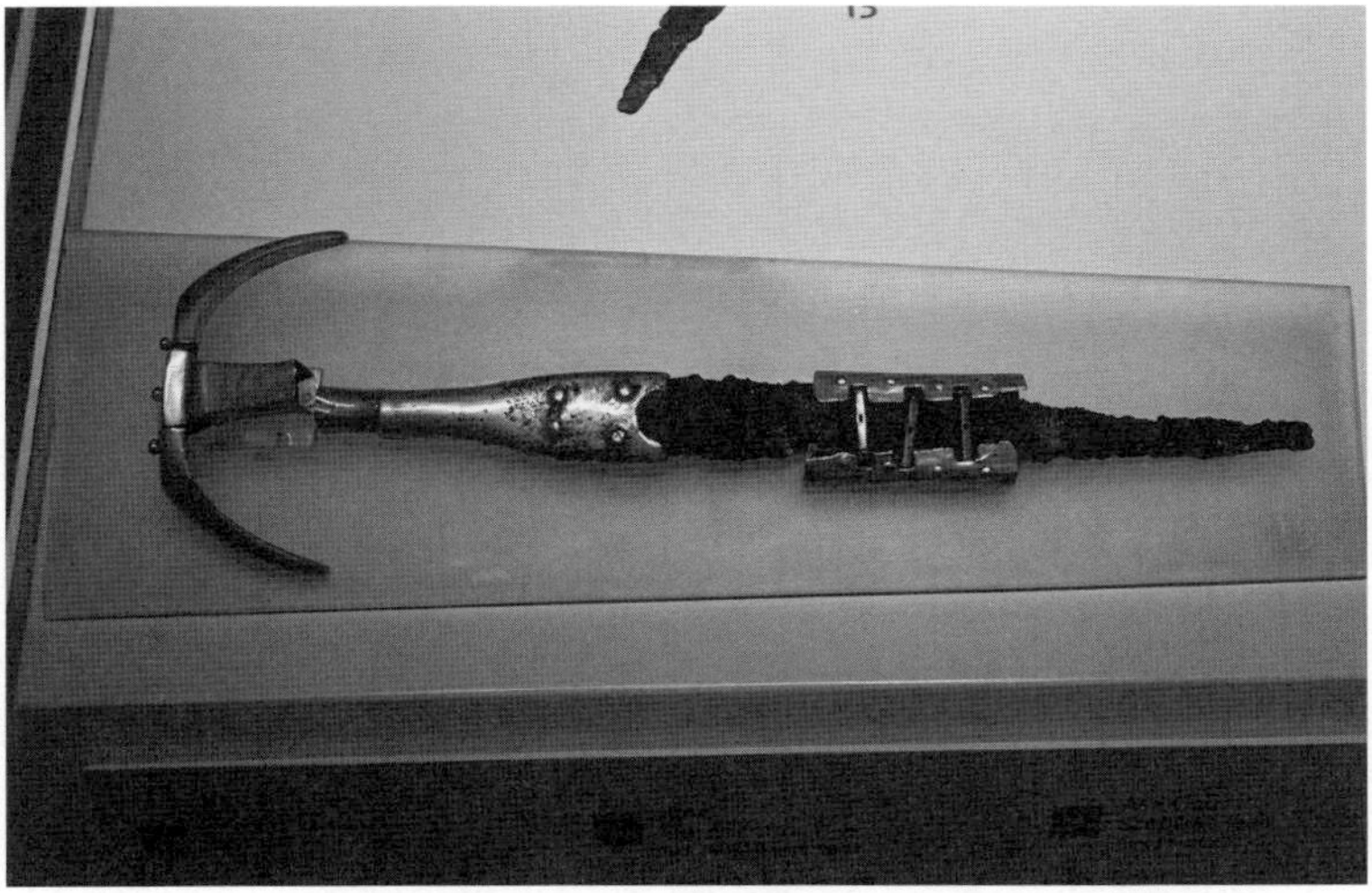

アラジャホユック遺跡王墓から発見された鉄剣（アナトリア文明博物館）

三、　地中海沿岸部の遺跡

　地中海沿岸は古くから多くの民族が盛んに交易を行い、栄えてきた。東地中海は古代エジプト文明をはじめとして、クレタ島のミノア文明、古代ギリシアのミケーネ文明、アナトリアのヒッタイトなど各文明が他の文明とそれぞれに交わり合い、発展をしてきたところである。紀元前千二百年頃、大規模な社会変動が起こり、「海の民族」といわれる人々によってヒッタイト帝国が滅亡し、ミノア、ミケーネの文明も崩壊、古代エジプトも衰退した。

　その結果、ヒッタイト帝国で秘密にされていた製鉄技術が地中海東部や西アジアに広がり、本格的な鉄器時代が始まったとされる。

■エフェス古代遺跡

　エーゲ海地方最大都市イズミルから南に約六五キロ、セルチュクという町の近くに位置するエフェス遺跡。地中海のほかの都市同様に古くからギリシアから

エフェス古代遺跡

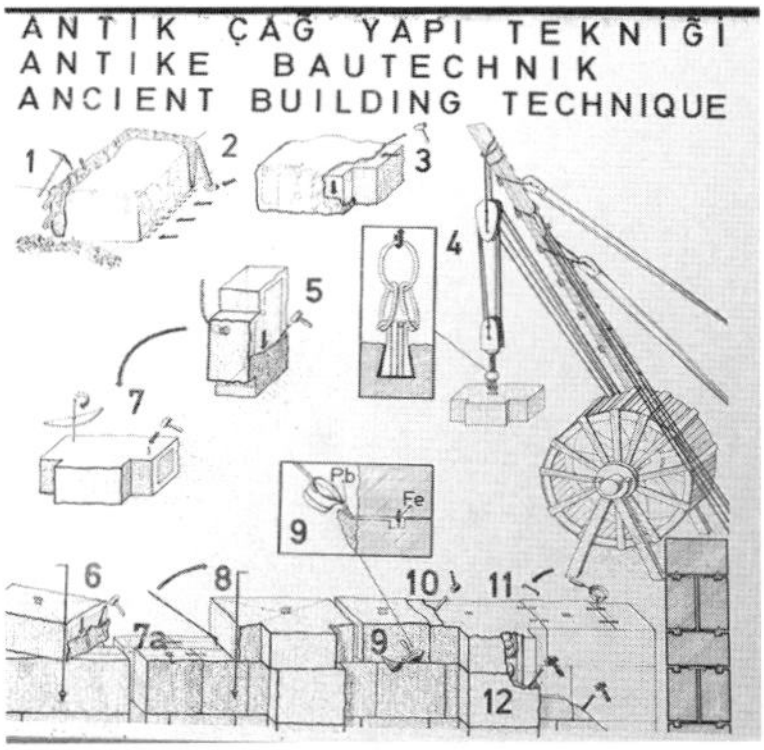

当時の建築技術を説明する看板（エフェス古代遺跡）

巨大なケルススの図書館（エフェス古代遺跡）

人々が移り住み、紀元前七～六世紀にはリディア王国が統治した。

紀元前五四六年にアケメネス朝ペルシアのキュロス王がギリシア軍を破り、この地はペルシア王国の支配下となる。他のイオニア同盟諸国が反乱を繰り返す中でリディアは同盟国との関係を断ち、ペルシア帝国のもとで繁栄を続けた。

ペルシア帝国が滅びた後、様々な国の支配を受けたが、ヘレニズム時代からローマ時代には地中海の港湾都市として、また東西を結ぶ交通の要所として交易で栄え、長く文化や商業の中心地であった。

古代都市全体が遺跡となっており、面積は六六三ヘクタールとかなり広い。遺跡の保存状態もよく、道や図書館、劇場をはじめとして、トイレや娼館の看板まで残っていて、遺跡を巡るとまるでその時代にタイムスリップしたような感じである。

入り口から幅一一メートルの大理石で舗装された大きなアルカディア通りがあり、その先には二万五千人を収容したという大劇場がある。さらに図書館に続く道も大理石舗装が施されている。その道にはローマ時代の轍が残っていて、当時の賑わいが伝わってくるようだ。

図書館は二階建てのファサードを持つ大掛かりな建築物で、当時の建築技術の高さが読み取れる。

図書館の壁の一角にローマ時代の建築技術を示す看板が張られてあった。それによると柱のつなぎには鉄の棒が差し込まれ、ズレ止めのために鉛を流し込み固定していたと図示してある。実際に、遺跡に散乱する柱の断面はすべて鉄棒の差し込み穴が開けられ、さらに礎石には鉛を流し込むための細い溝加工がされていた。

また壁石のつなぎ面は鉄のカスガイが使用されている様子が描かれており、これも実際に遺跡の各所で確認された。面白いことに遺跡の石壁には、後世の人々がその鉄のカスガイを奪い取るために、その壁を強引に破壊した跡まで残されていた。

石壁の一部には建設時、石壁を設置する際に利用されたと思われる小さな出っ張りが確認され、これは古代エジプトのメンカフラー王ピラミッド化粧石に使われた赤花崗岩にあったものと同じで、恐らくロープをひっかけた突起であろう。地域や時代を

石材を固定するための鉄製のアンカー（エフェス古代遺跡）

柱を固定するのに鉛を流し込むための溝（エフェス古代遺跡）

鉄材を取り外すために石壁に開けられた穴（エフェス古代遺跡）

石材をつなぐための鉄製のカスガイ（エフェス古代遺跡）

越えた石材技術のつながりが垣間見られ興味深い。

セルチュクの町にはエフェス遺跡から出土した膨大な遺品を収蔵しているエフェス考古学博物館がある。中でも豊穣のシンボルとされているアルテミス像は、造形的にも逸品であり、当時の人々の信仰心がどんなものであったかを想像させてくれる。

■フェティエの岩窟墓

古代エジプトの記録によると紀元前一二五〇年頃、リキアとヒッタイト帝国は同盟を結んだという記録があり、古くからリキア人がこの地域に住み着いていたことが知られている。紀元前五〇〇年から紀元前二〇〇年頃にリキア連合として、リキア人の都市国家同士が同盟を結び周辺の列強と対峙した。その都市国家のひとつであったフェティエには多くの古代遺跡があったが、一九五七年の大地震により大きな被害をうけた。

ロープを用いて壁石を設置した跡（エフェス古代遺跡）

エフェス考古学博物館に展示されているアルテミス像

フィティエの町にせまる岸壁には、紀元前五〇〇年頃に造られたリキア人の岩窟墓がいくつか残っている。中でも、ギリシア神殿風な造りにイオニア式の柱塔を用いたアミンタスの墓は保存状態が良い。

■ミュラの古代遺跡と岩窟墓群

デムレは古代名をミュラといい、リキアの中心として栄え、ローマに支配されてからも繁栄した。ミュラ遺跡は古代劇場やリキア式岩窟墓群が公開されている。

二〇二〇年に修復作業を終えた古代劇場は二六段の高さを持つヘレニズム時代の劇場で、最上階からは地中海を見ることができ、当時の設計者のランドスケープ的な設計意匠が感じられる。

ミュラの岩窟墓はいくつもの墓が重なり合うようにつくられ、身分が高く裕福な人々が多かったことを示している。岩窟墓の造営には相当の労力を投じなければ作ることができないので、当時のこの地方の繁栄ぶりを示している。

アミンタス岩窟墓（フェティエ岩窟墓群）

フェティエの岩窟墓群

ミュラの岩窟墓群

タルヤン近郊の岩窟墓群

地中海沿岸ではほかの所でもリキア式の岩窟墓が多く見られ、ギリシアのロードス島へのフェリー港であるマルマリスの近郊のダルヤン河クルーズ船からも、岩山の中腹に造られた岩窟墓が確認できた。さらにミュラに向かう街道筋の岩山でも見ることができた。

リキア式岩窟墓は岩壁に作られているので、建築物に必要な柱や梁などは構造的に必要ではないのだが、まるで建物を建てたような形をそのまま再現しているかのようで面白い。また、この地方で多く見られた石棺式の墓も家の形をしている。その形から、現世で生きる住まいの形にそのまま埋葬したような死者の祀り方に、古代リキア人の死者に対する思いやりのようなものを感じた次第である。

参考文献

・世界の歴史４　オリエント世界の発展　小川英雄・山本由美子著　中央公論社

ミュラに残る巨大なローマ式劇場

四、　鉄器による石材加工考察

エジプト編で何度か指摘したが、硬い花崗岩や玄武岩などは青銅器による道具では石の加工が不可能である。イギリスの実験考古学者ストックスは青銅器を用いた切断と穴開けの加工実験を行ったが、いずれも砂を使用した加工であり、青銅器が直接的に石の加工に有効だとするものではない。石英分を多く含む砂を用いれば、石英の硬度が「七」であるので、玄武岩の硬度「六」や硬度「二」の黒雲母を含む花崗岩の硬度「六～七」の石に対して切断や穴開けといった加工が可能である。そのような方法での加工は昭和の時代まで筆者の会社の工場で実際におこなわれていた。勿論、青銅器ではなく鋼鉄製の板や円筒で、砂も金剛砂という現代の砂であったが、要は砂が石に作用して加工するものである。

エジプト・ギザのピラミッドは四千五百年前の建造物とされ、そのころには赤花崗岩が大量に用いられている。実際には五千年前のエジプト第一王朝のデン王の埋葬室の床面には赤花崗岩が使用されており、硬い石の切り出

アナトリア考古学博物館に併設された三笠宮記念庭園

世界最古の鉄が発見されたカマン・カレホユック遺跡

カマン・カレホユック遺跡に建てられたアナトリア考古学博物館

しから加工までの作業で不可欠である鉄は、考古学的にどの年代まで遡って発見されているのかを実際に確認したくなり、現在発掘調査中であるトルコ中央部の遺跡を訪れてみた。

■中央部アナトリヤの遺跡調査

最初に訪れたのがカマン・カレホユック遺跡。一九一八年から日本の中近東文化センターによって調査が続けられ、二〇一七年に世界最古の鉄の塊が発見されたことで注目されている。この遺跡はおよそ五千年前の地層までの遺跡として見込まれているが、発見された鉄は現段階の調査地点である四千三百年前の地層から出土したとのこと。

遺跡の近くには三笠宮殿下の力添えにより日本庭園まで備えた博物館が建てられ、多くの人々が訪れる施設となっている。二〇二三年の調査は九月末で終了しており、現地を訪問した時には冬支度のため遺跡は屋根で覆われていた。

カマン・カレホユック遺跡から東に約三〇キロに位置するヤッスホユック遺跡。ここも同じ日本人チームによって調査が行われている。すでに四千三百年前の地層を発掘調査中とのことで、今後の発掘結果が待たれている。

■古代の製鉄技術について

このように、現段階において考古学的には四千三百年前の鉄が人類最古の人工鉄とされ、五千年前にエジプト王が赤花崗岩を用いた年代には追い付いていない。

帰国後、どうしても納得ができないので、さらに古代の鉄に関する文献を探した結果、産業技術に関する研究をしたドイツのベックという教授が一八八〇年に著した全五巻の大著、『鉄の歴史』があった。

それによると鉄の融点は一五三八度と、銅の一〇八五度よりも約五〇〇度も高いが、「鉄鉱石を炉内に木炭と層状に挿入して七〇〇度に上げると個体のまま還元されて海綿状の鉄となり、赤熱のまま叩いて不純物を絞り出して鉄原子同士をくっ付け直すことで純粋な鉄にすることができる」ということを詳細に記述している。

つまり、鉄はほかの金属のように鉱石を溶かさなくても、かなり低い温度で固形のまま精製することができ

現在発掘調査中のヤッスホユック遺跡

アスワンの赤花崗岩の岩盤にあるクサビ穴加工痕。鉄ノミでなければ不可能な加工である（エジプト・アスワン）

穴にクサビが打ち込まれ亀裂が入った状態の岩盤(エジプト・アスワン)

るという特異な性質を指摘していて、「古代の製鉄は地面に穴を掘った簡単な炉を作り、このような方法での製鉄が各地で行われていた」と言うのである。

銅を作るには、古代の製鉄に必要な七〇〇度よりも高温である一〇八五度の温度で一旦鉱石を溶かす必要がある。また、錫との合金である青銅を作るためには、合金にする金属の知識が必要であり、青銅の方が技術的にかなり難易度の高い点を挙げ、「鉄が割と早い時期に作られていたのではないか」と論じている。また、「鉄の鉱山は比較的どこにでも存在するが、銅の鉱山は地域的に限られており、錫の鉱山はさらに限定的であることからその限られた材料調達には高度に発達した情報と流通が必要である」ということも指摘している。

さらにベックは、「古代エジプトには鉄鉱石の鉱山が領土内にあり、かなり古くから様々な冶金技術を持っていたエジプト人が鉄の製法を知らないという方が不自然」とまで言い切っているのだ。

また、一八三七年にイギリス調査隊が、ダイナマイトで爆破して取り出したクフ王ピラミッドの「王の間」

最も硬い石で作られたカフラー王の座像（エジプト考古学博物館）

カフラー王の石像台座後ろ部分に残る先が丸く尖った鉄ノミ痕（エジプト考古学博物館）

の壁に挟まれていた鉄の板についても図入りで説明をしており、ベックによれば「分析の結果、わずかにニッケルが含まれているが、結合炭素を含んでいるので隕鉄ではない」と当時の見解を書き記している。

このような観点と、エジプトの遺跡に残る様々な石の加工跡を考え合わせると、古代エジプトにはやはり人工鉄があったのだと考えるのが妥当であると思う。現在の歴史認識では、石器時代から青銅器時代に進み、それから鉄器時代を迎えたということであり、青銅時代以前には人工鉄はなかったとしている。しかし、合金技術を伴う青銅器時代よりも技術的に単純な鉄器時代の方が先行したのではないかという、現代の歴史観の大前提をくつがえすような認識が一五〇〇年も前に示されていたのだ。なぜ鉄が残っていないのかは

硬い石の先を長方形の尖らせた鉄ノミで力強く打ち込んでいる荒加工段階の石像（エジプト考古学博物館）

荒加工は鉄ノミの先が長方形のノミ先で、細部は丸く尖らせたノミ先、仕上げに近いところはさらに先を尖らせたノミで加工している作りかけの石像（エジプト考古学博物館）

ベックの書物に詳しく記してあり、それに譲ることとする。

■エジプトの石材加工の再検証

考古学は考古学上の物証がなにより も重要視される。考古学者ストックスはクフ王の石棺に残されたドリルやスジ状の加工痕から砂を用いた加工実験を行い、青銅器による加工成果に対して考古学的な評価を得た。

私にとっては、青銅では歯が立たない硬い石材に残された加工痕が物証である。アスワン川上流の赤花崗岩採石場に残された当時のクサビの加工痕や、ナイル川流域の各遺跡に残された石材に残された加工痕、さらにカイロのエジプト考古学博物館に展示されている数多くの石造物の加工痕は鉄ノミが直接的に石の加工に際して使われていた証拠であり、古代エジプトの時代

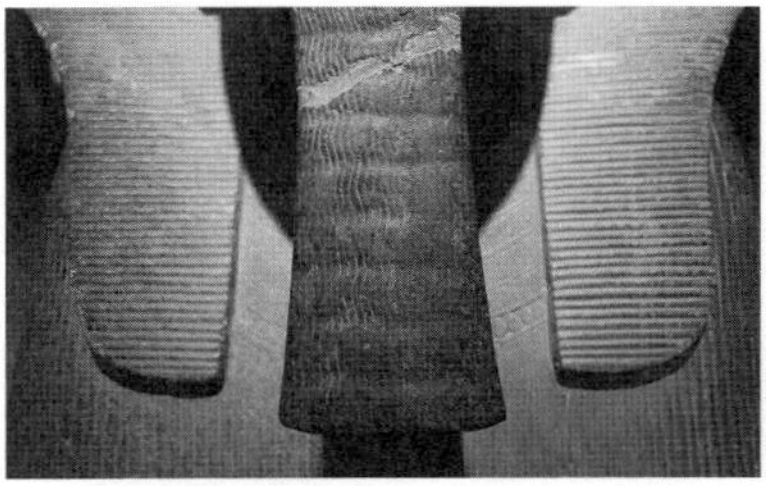

硬く目の粗い赤花崗岩を先の尖らせた鉄の細ノミを用いて完璧に仕上げている（エジプト考古学博物館）

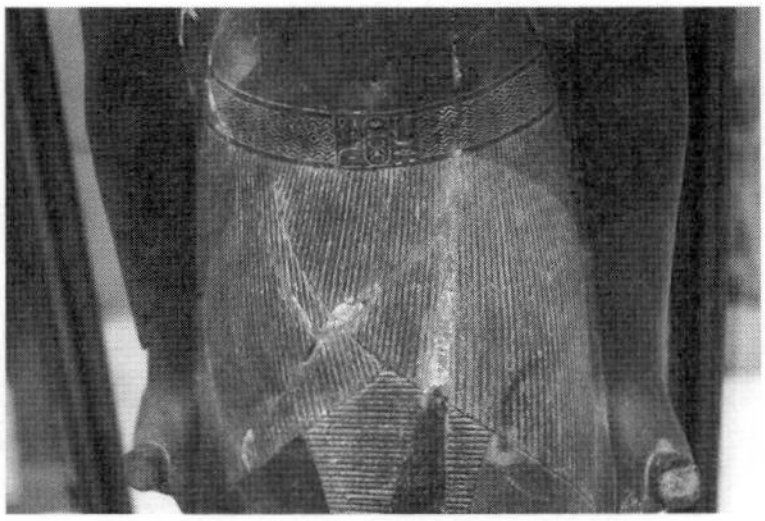

ノミ先を鋭く尖らせた鉄の細ノミで繊細に仕上げられた玄武岩の石像（エジプト考古学博物館）

石造物の側面の様子。長方形に尖らせたノミ先のノミと、角面は刃先が一文字のノミで仕上げている（アレキサンドリア博物館）

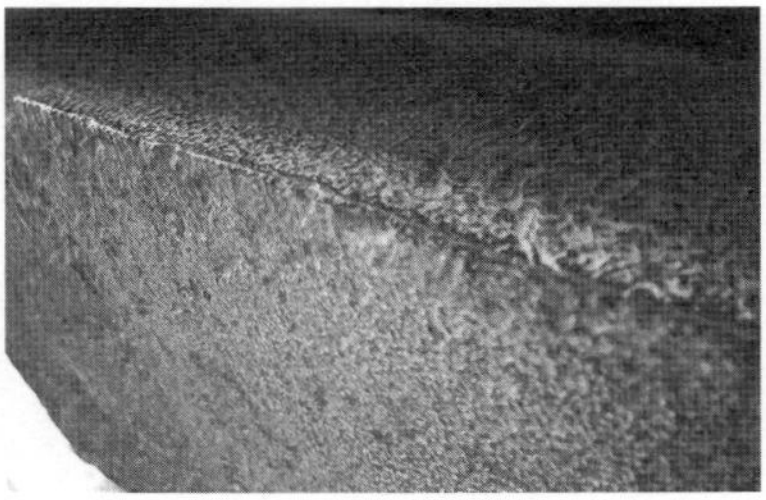

鋭く尖らせた鉄ノミで仕上げられた高度な技術を要する石棺の角面加工（エジプト考古学博物館）

にはすでに花崗岩や玄武岩などの硬い岩石に利くほどの優れた鉄器が存在していたことを示唆しているのである。

参考文献

・鋼の時代　中沢護人著　岩波新書
・鉄の歴史Ⅰ・（1）　ルードウィヒ・ベック著　中沢護人訳　たたら書房

なぜか、台座部分にクサビ穴がある玄武岩で作られた約3000年前、中王国時代の王の座像（エジプト考古学博物館）

ヨルダン・イラン編

人類最初に鉄を作り出したとされるヒッタイトと、古代叡智の結集であるピラミッドを建設したエジプトに多大な影響を与えた古代メソポタミア文明。それらの関わりを石材技術の観点から検証したかったが、その中心国であるイラク、シリアなどの遺跡は国際関係の緊張下にあり訪問することが叶わず、その周辺国であるヨルダン、イラン両国の遺跡を回ってみた。

一、ヨルダン・ペトラ

紀元前一万年前にはヨルダン渓谷で農業がおこなわれていたとされ、古来、ヨルダン地域には様々な民族が住み着いていた。紀元前四世紀になると古代アラブの遊牧民族であるナバタイ人がヨルダン南部に王国を築き、その都がペトラである。地中海とインドやエジプトを結ぶ東西交易の要衝であったペトラはこの地域を通るキャラバン隊から税を徴収し、その見返りとして安全を保障することで財政を潤した。ローマ帝国とは豊かな財政で懐柔し、和平を結んだりしたが、一〇六年にはローマ帝国に併合された。

紀元後一世紀にエジプト人によって著されたエリュトゥラー海案内記によると「(ペトラでは)荷物の四分の一の税と、徴収官と警護のための軍隊を率いた百人隊長とが派遣される」とある。この頃になるとローマ帝国の勢力が強くなり、その税はペトラ王国のものかローマ帝国にものか不明であるが、興味深い記述が残されている。

ペトラで最も荘厳な造りの岩窟建築、エル・ハズネ

三六三年にペトラで大地震が発生し、多くの建造物が崩壊するなどして壊滅的な打撃を受けた。以来ペトラは衰退し、六～七世紀にかけて次第に人が住まなくなった。

■ペトラ遺跡

死海付近で採取された瀝青（天然アスファルト）と、東西交易とで莫大な富を築いたナバタイ王国の首都として、紀元前一世紀から紀元後一世紀にかけて建設されたのがペトラである。ローマ帝国に併合された後も、ペトラは繁栄を続け、ナバタイ人以前・以後の遺跡が複合的に残されており、この地域の歴史を知るうえで貴重な遺跡となっている。

入り口からエル・ハズネ（宝物殿）へと続くシークと呼ばれる岩山の狭い裂け目の通路は、崖の高さが六〇～一〇〇メートル。頭上に迫ってくるような渓谷が一・二キロ続く。そこを抜けると遺跡の中で最も壮麗

シークと呼ばれる巨大な岩の裂け目から覗くエル・ハズネ(宝物殿)

コリント様式の柱の奥にはさらに部屋が設けられているが、中にはなにも無い

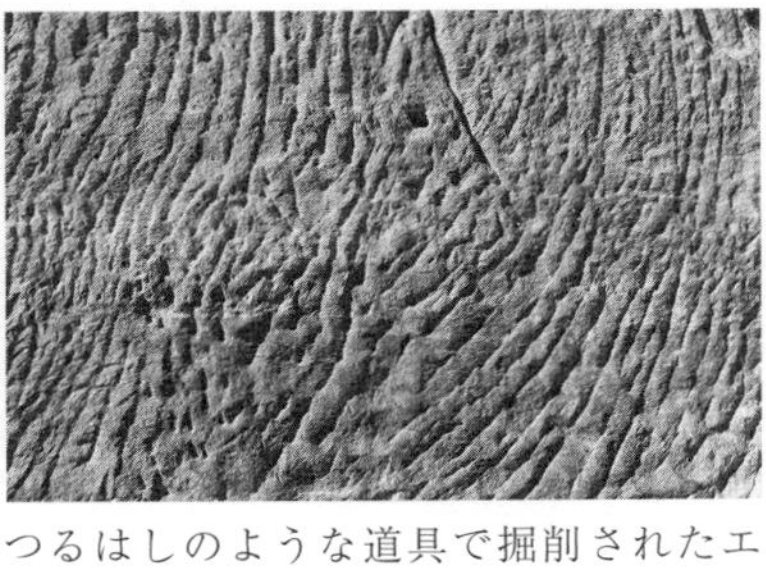

つるはしのような道具で掘削されたエル・ハズネの壁面

なエル・ハズネが現れる。

宝物殿と呼ばれる高さ四五メートル、幅三〇メートルの巨大な建造物は紀元前一世紀に当時のナバタイ王によって建造された。さまざまな儀式を行う葬祭殿であったとされ、エジプトやギリシャの影響を受けているヘレニズム様式で緻密な装飾を施されたファサードが見事である。

そこから岩山に作られた壮麗なファサードを持つ多数の岩窟墓や、岩山を掘りぬいて建造されたローマ円形劇場が現れ、やがてペトラの中心地である列柱通りに出る。列柱通りにはナバタイ王国からローマ時代に建造された市場をはじめ、凱旋門・大神殿・古代エジプトの王の娘の宮殿と呼ばれる神殿・ペトラ教会など重要な建物遺跡群が並び、当時の繁栄ぶりを偲ぶことができる。

さらにそこから続く八〇〇段の階段を上がると、ペトラで最も巨大な建造物、エド・ディルに行き着く。当初はナバタイ王をまつる神殿として作られたが、その後のビザンチン時代には教会として利用され、修道僧が住む修道院となったといわれている。

エル・ハズネに続くサファード通りの右側に造られた数多くの岩窟墓、王家の墓

ペトラ遺跡は広大な面積と様々な見どころを持つ。隊商（キャラバン）交易で潤ったナバタイ王国の繁栄ぶりがどのようなものであったかを知ることができるが、とても一日では見切れない遺跡である。

■リトルペトラ

ペトラが宗教や政治の中心であったのに対して、リトルペトラは隊商が宿泊した街である。街に入るときにチェックを受ける建物を抜けると、岩の裂け目を通り集会場や食堂があった場所に行き着く。岩山の崖には当時の宿が作られている。中には博打や飲み屋の部屋もあり、美しいフレスコ画も残っている。ここは、当時のキャラバン隊の様子がうかがい知れ、興味深い遺跡である。

ここから約800段の石段を登って山頂に建設されたエド・ディルに行き着く

宗教的な儀式を行う神殿としてつくられたペトラ遺跡最大の建造物、エド・ディル

収容人数が約4000名と、岩山を掘削してつくられた劇場としては世界有数の規模のローマ劇場

■ワディ・ラム

ヨルダンの南部、アカバやサウジアラビアの国境近くの砂漠地帯に、砂漠の民ベドウィン族が住んでいたワディ・ラムがある。ここには有史以前から人が住みつき、ハザリ渓谷では先史時代の壁画を見ることができる。

このような砂漠地帯を舞台に、それぞれ五〇キロほどの積み荷を載せた何千頭ものラクダと、たくさんの人々からなる隊商が都市から都市へと移動し、大規模な交易をおこなっていた。隊商交易は、紀元前二千年頃にラクダが家畜化されるようになってから始まったとされ、紀元前千年紀のアラビアなどは大いに栄えたようである。

運ばれていたものは南アラビア産の薫香として使用される乳香や、防腐剤や鎮静剤としても使用され、薫香でもある没薬（もつやく）などの香料、東アフリカ・インド洋世界からは貴金属・象牙・香料・香辛料などであった。乳香や没薬は古代中近東・地中海世界各地

ペトラ遺跡の近くにあるキャラバン隊が宿泊した町、リトルペトラの入り口

岩山の中ほどにはキャラバン隊の人びとが宿泊に利用した部屋が造られている

集会所や食事処に利用されたリトルペトラの大規模な岩窟部屋

において宗教儀式で盛んに焚かれ、中でも没薬は瀝青とともにエジプトのミイラづくりに欠かせないものであった。そのほかに馬やロバ、高価な衣服、後宮美少女、奴隷なども運ばれていた。

　このような陸路以外にも地中海や紅海・アラビア海・インド洋などの海路も利用されて、古代エジプトや地中海世界、メソポタミア・インド洋世界を含めた広域に及ぶ世界各地から様々な貴重品が盛んに交易され、それぞれの港も大いに賑わった。

　また、ラクダの積み荷以外にも、赤花崗岩・石灰岩・大理石などの石材や、レバノン杉といった木材など、建材として利用された重量物も船によって運搬され、最寄りの港から人力で陸送された。

　金・銀・銅・鉄などの鉱物やトルコ石・ラピスラズリ・黒曜石などの貴重な石も盛んに交易されており、鉄がそれほど普及していなかった頃、「鉄は金の四〇倍の価値がある」「銀との比率で三五対一、四〇対一、九五対一、一四〇対一」と楔文字で刻まれたアッシリアの粘土板文書も発見されている。

参考文献

・地球の歩き方「ペトラ遺跡とヨルダン」　ダイヤモンド社
・エリュトゥラー海案内記　村川堅太郎訳註　中公文庫
・世界の歴史１「人類の起源と古代オリエント」　中央公論社
・アナトリア発掘記　大村幸弘著　ＮＨＫブックス

ペトラ遺跡周辺の砂漠地帯、ワディ・ラム

2500年前のアラム文字や数々の岩絵が残されているワディ・ラム内のハザリ渓谷

二、ヨルダン・ローマ時代の遺跡

ヨルダンの首都、アンマンから北のヨルダン高原は温暖な気候の上に雨にも恵まれ、一万年も前から農業がおこなわれてきた。古代においてもヨルダン川の水利で農作物の一大生産地となっていたのである。この地域はメソポタミアの「肥沃な三日月地帯」の南西部に当たり、ギリシアのセレウコス朝やナバタイ人、ユダヤ人、ローマ人らが激しい争奪戦を繰り広げた土地でもある。

アラビア及びシリアとの隊商交易を基盤として繁栄を築いたナバタイ王国は前六三年にローマ軍によって征服されるが、ナバタイ王国を砂漠の部族に対する緩衝国とするというローマ帝国の政策によってローマの朝貢国として存在した。結局、一〇六年にトラヤヌス帝によってローマ帝国に吸収されるのだが、ヨルダンはその後も繁栄し、多くの新しい都市が建設された。

ハドリアヌス帝の凱旋門（ジュラシュ遺跡）

集会を開いたり、政治や商取引の話などをしたりしたフォルム（ジュラシュ遺跡）

■ジェラシュ

アンマンの北五〇キロに位置するジェラシュは、ローマ人がアラブに造ったローマの都市の中でも最も華麗かつ壮大な都市のひとつである。はるか以前から集落としては存在していたが、紀元前一世紀前後にローマ軍が植民地として吸収し、ローマ帝国の繁栄とともに交易で潤い、富を蓄積して、劇場や神殿などの建物が造られるようになった。

ナバタイ王国がローマ帝国に併合された後は、東方の都市とも交易路がつながるようになり、より多くの利益をもたらした。

現在に残る遺跡はこの当時のもので、ゼウスやアルテミスの神殿、劇場などが市民の寄付によって建てられた。三世紀の初めの頃に絶頂期を迎えたが、海上輸送の発達とともに徐々に衰退することになる。

その後ローマ軍やペルシャ軍との争いやイスラム教国の興亡に翻弄され、八世紀に起こった大地震で建物の多くが崩壊し、次第に歴史の舞台から消えていくことになる。

ジュラシュは、遺跡の入り口にあたるハドリアヌス

石畳の両側に円柱が続く列柱通り（ジュラシュ遺跡）

当時の梁が復元されている（ジュラシュ遺跡）

泉の妖精ニンフら捧げられた神殿・ニンファエウム（ジュラシュ遺跡）

エジプトの赤花崗岩製の円柱（ジュラシュ遺跡）

の凱旋門が当時の繁栄ぶりを象徴するかのように出迎えてくれる。そこから南門、イオニア式の列柱に囲まれた広場、フォルムと続き、フォルムから北門まで約六〇〇メートル、石畳を伴った列柱通りが続いている。列柱通りの左右には大聖堂や教会・神殿などの建物が立ち並ぶ。

　高台から眺望すると、ローマ様式を伴った石造りの建造物が遺跡全体に広がっている。列柱の中にはエジプトのアスワン地方から運ばれたと思われる赤花崗岩の柱があり、交易が広範囲に行われていたことを示している。

　また、アルテミス神殿の巨大な柱が人力でも動くような耐震構造になっているなど、当時の建築技術が相当に発達していたことがわかる。

■ローマ時代の石材技術

　ローマ時代にもなると、石材に関する様々な技術は現代の技術に匹敵するレベルまで発達していたような感がある。

ヨルダン博物館に展示されていた石の切断装置の模型は、動力が水力になっている以外は、最近まで稼働していた「ガングソー」と原理が同じで、金属板を往復運動させせながら砂を使って石を切断する装置である。また、起重機もかなり大掛かりなもので現代のクレーンと同様な働きをしていたものと思われる。

古代ローマ時代に大プリニウスによって著された『博物誌』によると、その当時の鉱物や石材、建築などの知識は相当に深く、例えば「大理石の切断」の項には「鉄板を使うが実際は砂によって切断されるもので、その砂はエチオピア産のものが良い（筆者要約）」と具体的に示されているといった具合。石材に関する記述は大理石をはじめとして、当時の名称のまま様々な種類の石を紹介している。さらに砥石や砂、磁石など、ローマ時代に知られていた知識が詳しく述べられている。二千年経った今でも、崩落しないローマ時代の建造物に使用された当時のセメント技術にも記述が及んでいて、興味深い内容となっている。

また『古代ローマ軍の土木技術』では、当時の建築・土木のほか鉱山や採石場の様子が絵図とともにわかりやすく解説されている。

ローマ時代には多くの都市や建築物、街道、橋、水道、運河、水路が造られたことが知られている。そのような建設においては設計士や測量士などの専門職の存在が欠かせないが、実際の労働力はローマ軍団の正

アルテミス神殿の柱は人力でも揺らぐ耐震構造になっている（ジュラシュ遺跡）

ジュラシュ遺跡の中では最も大きい神殿・アルテミス神殿

規兵や補助部隊の兵士などが駆り出された。それらの元にそれぞれの職人集団がいて、さらに多くの奴隷的な人々の存在がある。

ローマ時代には軍隊に入ることは社会的に地位が高く、憧れの職業であり、兵士の意識も相当に高かった。戦いに勝利するために高度に組織化され、武器のほかにも資材、道具などの知識を持ち、しかも肉体的にもすぐれた兵士は、あらゆる実際の現場で相当の戦力となった。列強を打ち負かしたローマ軍の兵士たちは、平和時にも将軍たちによって「兵士から暇を奪い取るために」、「兵士に怠け癖をつけないように」と、大規模な事業に従事させられたのである。

軍隊に所属する石工や石切工は、大工、左官、絵師、屋根職人とともに重要な職人とされ、地位も高かったようである。石についての記述では「小型のツルハシ、ハンマー、端の尖ったハンマー、ノミ、針、ハサミ」という道具が使われ、「石を持ち上げる滑車や巻

二方向に対して連結加工が施されている円柱（ジュラシュ遺跡）

南劇場から望むフォルムと列柱通り（ジュラシュ遺跡）

ペトラ遺跡のローマ劇場に張られていた大理石の板材

ローマ時代の石の切削機械の模型。石を切る様子が映像で示されていた（ヨルダン博物館）

き上げ機を利用して作業が行われた。さらに重量物は木材を組み合わせた二つの滑車のついた巻上げ機や、内部で力を伝える中空の大きな回転部を備えた機械で何十トンもの重さのものを持ち上げることができた」と紹介されている。

「鉱山や採石場における軍隊の存在」の項では、スペイン北西部の金鉱やドイツの凝灰岩の採石場、チェニジアとアルジェリアとの国境近くの大理石の採石場、エジプト東部砂漠の赤色斑岩と花崗閃緑岩の採石場について何枚かの絵図と写真で詳しく解説されていて、興味深い。採石場近くには、労働者や採石にかかわる人々の町が形成され、現在と同じような規模で採石が行われていたようである。エジプト東部砂漠の採石場絵図には石材の移動や輸送のことにも触れており、当時の作業の様子を描いている。

参考文献

・古代ローマ軍の土木技術　J・クーロン、J・ゴルヴァン著　大清水裕訳　マール社
・プリニウスの博物誌第３４巻~第３７巻　中野定雄・中野里美・中野美代訳　雄山閣
・古代メソポタミア全史　小林登志子著　中公新書

ローマ時代の起重機の様子（ヨルダン博物館）

三、イラン西部の古代遺跡

紀元前二千年頃のオリエント地方では、勢力の拮抗する国々が様々に入れ替わり、栄枯盛衰を繰り返した。メソポタミアでは北部にアッシリア、南部にバビロニアがあり、アッシリア西方にはミタンニ、イラン高原西部にはエラム、アナトリア中部にはヒッタイト、アフリカにはエジプトという国が、それぞれに競い合いながら存在していた。

このような中から、先ずアッシリアが遠隔地との貿易で栄えたが、前十五世紀にはミタンニに追いやられ、そのミタンニも前十四世紀にヒッタイトの攻撃によって衰退し、再びアッシリアが隣接するバビロニアを支配するまでに復活する。アッシリアはその後も発展と停滞を繰り返すことになるが、前七世紀になるとメソポタミア一帯からイラン高原西部、エジプトまでを支配する「世界帝国」へと成長する。

しかし、それも長続きせずアッシリアは分裂し、再びそれぞれの国が複雑な覇権争いを繰り広げたが、その混沌から前六世紀中ごろに、旧アッシリア帝国の勢力圏を受け継ぎ、それをさらに上回る領域の支配に成功したのが、キュロス二世が率いるアケメネス朝ペルシアである。

■スーサ

スーサの歴史はかなり古く、スーサのアクロポリスからは紀元前四千

スーサ遺跡に残るダリウス１世の王座の台跡

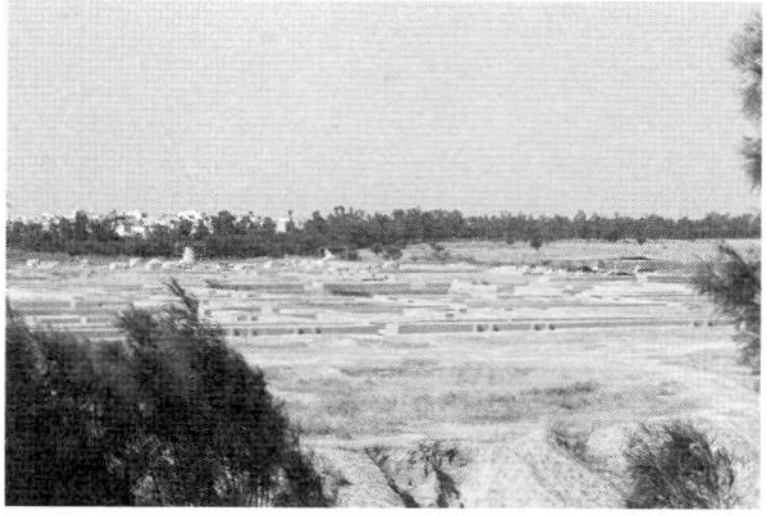

破壊が激しいエラム王国の首都だったスーサ遺跡

年までさかのぼる神殿跡が発見されていて、紀元前三千年頃からイラン高原西部を支配していたエラム王国の首都であった。紀元前六四七年のスーサの戦いでアッシリアによって破壊され、紀元前五四〇年、アケメネス朝ペルシアのキュロス二世によってスーサは占領された。

エラム王国は滅んだが、その後この地に王宮が置かれ、アケメネス朝ペルシアの「王の道」の起点として、再び栄えた。紀元前五二〇年にダレイオス一世がペルセポリスを建設した後も、事実上の政治機能はスーサに置かれ続けた。

この地はメソポタミアの低地と地続きであったので、アケメネス朝が滅びた後もキリスト教徒をはじめとして様々な民族や避難民がやってきた場所でもある。

近代になり考古学者により発掘調査が盛んにおこなわれ、広範で貴重な遺物が発掘されている。

スーサ遺跡から発掘された天井の梁を支える柱の牡牛の彫刻（スーサ博物館）

牡牛の角を取り付けるための四角形の穴加工。難易度が高い（スーサ博物館）

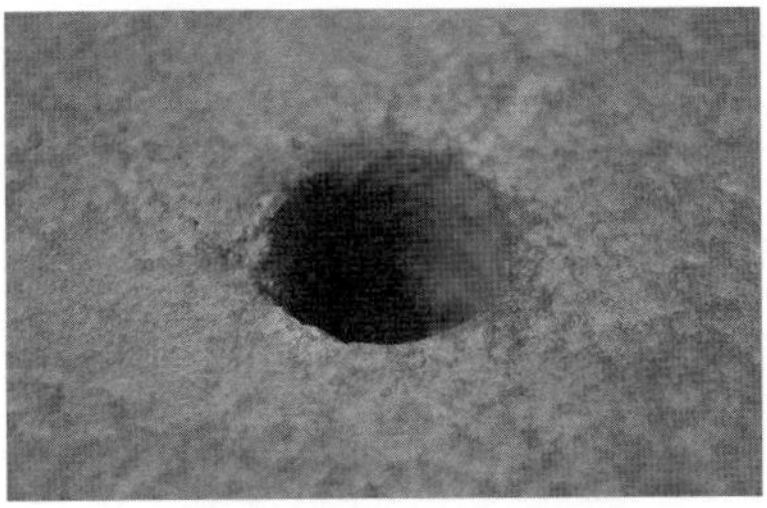

スーサ遺跡から発掘された「廻しノミ」を駆使したと思われる台座の穴加工。平面のノミの跡もリズミカルだ（スーサ博物館）

一例をあげるとハンムラビ王（前一七九二～前一七五〇）時代に制定された「ハンムラビ法典」が記されている石碑。バビロンにあったものが紀元前十二世紀にエラムの王に奪われスーサに持ち込まれたもので、高さ二二二センチあり、玄武岩で石碑上部には神に祈りを捧げる精緻な彫刻が浮彫りされている。パリのルーブル博物館に展示されているが、レプリカが池袋の「古代オリエント博物館」や三鷹市の「中近東文化センター」などで見ることができる。

発掘調査は徹底的になされたためなのか、現在この遺跡は見る影もないほど破壊され、荒涼とした景色が広がっている。

■チョガーザンビール

紀元前一二七〇年、当時のエラムの王によって、スーサを行政の拠点とし、チョガーザンビールを宗教的中心地とするために、

スーサ遺跡から発見された壁石の接合加工（フランス調査隊の城）

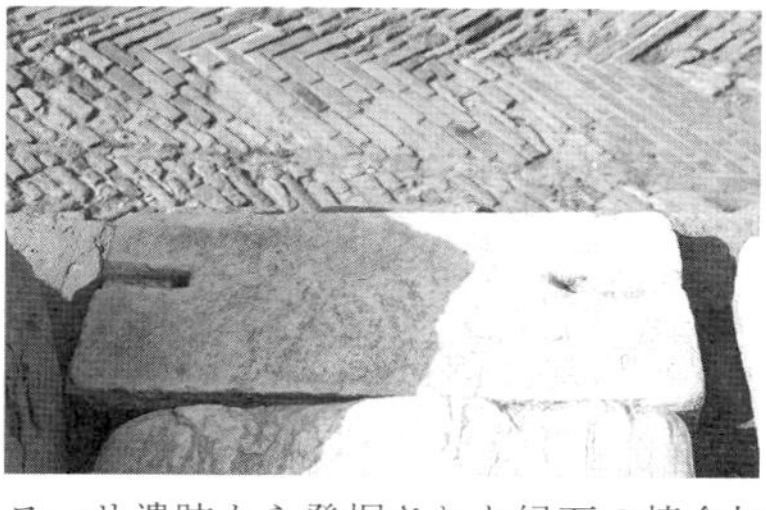

スーサ遺跡から発掘された縁石の接合加工。鉄製のカスガイを使ってある（フランス調査隊の城）

スーサ遺跡から発掘されたハンムラビ法典を記した石碑のレプリカ品（池袋・オリエント博物館）

高さ五〇メートルにおよぶ巨大な階段様式で、すべてがレンガ造りの神殿（ジグラット）が建設された。資料によると、ジグラットは神々が天から地上に降りるための神殿で、塔の上の神殿に昇れるよう階段式の構造となっているとのこと。巡礼地として大いに賑わったが、前六四〇年頃にアッシリアによって破壊された。

ここからは、全身に楔文字が刻まれ神への生贄として捧げられた牡牛の像や、紀元前千年頃の牛車の車輪などが発掘されている。

■ダイオレス一世戦勝記念磨崖碑

ペルシアとバグダッドをつなぐ「王の道」の中継点として交通の要所であるベヒストゥンの断崖に幅五メートル、高さ三メートルのダリウス一世の勝利の様子が描かれた磨崖碑がある。周辺の国々を打ち破った様子が

紀元前1250年頃にエラム王国によって建設されたチョガーサンビール遺跡

宗教的中心地として階段状ピラミッドの形を持つチョガーサンビール遺跡

ジグラットの外壁レンガに残るエラム王国時代の楔文字（チョガーサンビール遺跡）

描かれたレリーフと碑文とで成り立っているこの磨崖碑は、古代ペルシア語、エラム語、バビロニア語の三つの言語で刻まれている。特に古代ペルシア語の現存する最古の碑文で、ロゼッタストーンが古代エジプトのヒエログリフ解読に果たした役目と同様に、楔文字の解読に大いに寄与した。

碑文はかなり高いところにあり、修復で足場が組まれていて近づけないいため、双眼鏡が必要だ。

■ガンジナーメ磨崖碑

紀元前二千年頃から都市として発達し、紀元前六百年頃メディア王国の首都エクバナとして栄えたハマダン。アケメネス朝時代にはバグダッドへと続く「王の道」の重要拠点であり、夏の都として繁栄した歴史ある街だ。その近郊にあるガン

ビストゥーンに残るダイオレス１世の戦勝記念磨崖碑

チョガーサンビール遺跡から発掘されたエラム王国時代の車輪（テヘラン博物館）

ジナーメには、ダリウス一世と息子クセルクセスについて記された磨崖碑がある。やはり、古代ペルシア語、エラム語、バビロニア語の三種類の楔文字で刻まれている。

参考文献

・地球の歩き方・イランペルシアの旅　ダイヤモンド社
・古代メソポタミア全史　小林登志子著　中公文庫

ダリウス１世と息子のクルクセス１世をたたえるガンジナーメ碑文

チョガーサンビール遺跡から発掘されたエラム王国時代の楔文字が刻まれた牡牛（テヘラン美術館）

四、イラン・ペルセポリス

キュロス二世とその息子カンビュセス王によって、全メソポタミア地方からアナトリア地方、西アジア全域、ギリシアの一部、エジプトまでの地域の征服を成し遂げたアケメネス朝ペルシアは、文字通りの「世界帝国」を実現させた。それを引き継いだダリウス一世は各地の反乱を抑え、それらの地域をつなぐ「王の道」を設けて駅伝制を整備し、港湾の整備や貨幣の鋳造、度量衡の統一など、専制国家としての体裁を整えて、その広大な支配地をより強固なものにし、名実ともに最強の帝国へと導いた。

ダリウス一世はさらにギリシアの支配を目指して遠征を開始したが、ギリシア征服は成功せず、紀元前三三〇年、アレクサンダー大王が率いるギリシア軍との戦いで敗北し、人類史上初の世界帝国は建国後二百二十年間で終焉を迎えた。

■パサルガダエ

紀元前五四六年頃にキュロス二世によって建設が開

アケメネス朝ペルシャの最初の首都、パサルガダエ遺跡

始されたアケメネス朝ペルシアの最初の首都。キュロス二世の戦死後ダリウス一世に建設が受け継がれ、スーサに首都が移されるまで栄えた。遺跡からの発掘品や建築様式は、エラム、バビロニア、アッシリア、古代エジプトやアナトリアなどのペルシア帝国が支配した各地の影響を受けたもので、ペルシア様式の芸術として評価されている。また、建築物の建設に当たった技術者は、震度七にも耐えられるような免振構造を施していたという。

■キュロス二世の墓

パサルガダエの入り口近くに高さ一一メートルの巨大なキュロス二世の墓が立っている。ペルシア人は古い時代には、肉体は骨になれば魂は完全に天に昇ったと考えた。遺体は魂が抜け去った形骸として大切にせず、

パサルガダエ遺跡に残された建築物の加工跡

貢物をたくさん持っていても馬やラクダや人々が登りやすいように作られた大階段（ペルセポリス）

頭部が後の偶像崇拝を嫌うイスラム教徒によって破壊されたクセルクセスの門（ペルセポリス）

土に埋めるか、山頂において風雨に晒した後、地中に埋め、墓を作らなかったが、やがて遺体は山の深い洞窟や岩の裂け目に葬られた。

のちにエジプトの影響を受けて、王や王妃の遺体をミイラにして石棺に収め、石棺を墓の奥に収めるようになったとのことである。

キュロス二世の墓は巨石の切り石で六段の基壇を組み、その上に巨石の床と壁と切妻型の屋根で墓室を作っている。それぞれの巨石は鉄のカスガイでつなぎ合わせられているので二千五百年経った今も石組は崩れていない。墓室には今は何もない。

実は、墓室の天井石の方にキュロス二世とその夫人を収めたと思われる深い穴が二つ彫られている。その遺体は今にないが、キュロス二世の遺体は天井石の穴に横たえられた後、その上に岩山を想起させる重い屋根石が置かれ、ペルシア人の風習に従い岩と岩との間に挟まれて眠りについたのである。入り口のある墓室は、副葬品か祭具を置いた部屋

パサルガダエ遺跡に残るキュロス二世の墓

だったと考えられている。

■ペルセポリス

ペルセポリスは、バサルダガエから遷都して新たな宮殿を作るために、南に五キロほど離れたクーヒ・ラハマト（恵みの山）の山裾にダリウス一世によって建設が開始された。長さ約四五〇メートル、奥行約三〇〇メートルという自然の岩盤を利用した広大な基壇をつくり、その上に石を組み上げた巨大なクセルクセス門、謁見の間である「アバダーナ」、王座殿、宝物庫など様々な建造物が作られた。

大基壇に登るための階段は幅広くしかも馬車も通れるほど緩やかに作られており、この都市を建設するために「王の道」と呼ばれる全長二七〇〇キロの道路を使用して、資材と人材が集められた。

ダリウス一世は広大な領地と絶大な王権を誇示するかのように、「宮殿の屋根はレバノンの杉、黄金は小アジアとバクトリア、銀と

大理石が鏡のように磨かれていたという鏡の間（ペルセポリス）

王墓から眺めたペルセポリス遺跡

当時は100本の柱を有していたペルセポリス最大の広間、百柱の間（ペルセポリス）

デザインに沿って積み石用に加工したブロックを積んだ後に、表に現れる面を仕上げている（ペルセポリス）

黒檀はエジプト、ラピスラズリや紅玉髄はソグド、象牙はエチオピア、柱の石はエラムからそれぞれ運ばれた。鍛冶屋と大工はメディア人かエジプト人、レンガを焼いたのがバビロニア人、石工はサルディヌ人かイオニア人であった」とスーサの宮殿建設時の様子を記録した粘土板が発見されているが、ペルセポリスの建設の際も同様であったと思われる。

また、宮殿に使われた石の大部分はバサルダガエと同じ山から切り出されたもので、建物の入り口や石柱、礎石、柱頭などは「恵みの山」からの現地調達品であった。さらに女王の間や鏡の間の柱の礎石や彫刻に使われた黒大理石は遠く離れたマズダバド山から運ばれた。

当時の行政的な首都はスーサであった。ペルセポリスは宗教的な儀

王墓が切り開かれた激しく亀裂の入った岩盤（ペルセポリス）

アルタクセルクセス二世の王墓（ペルセポリス）

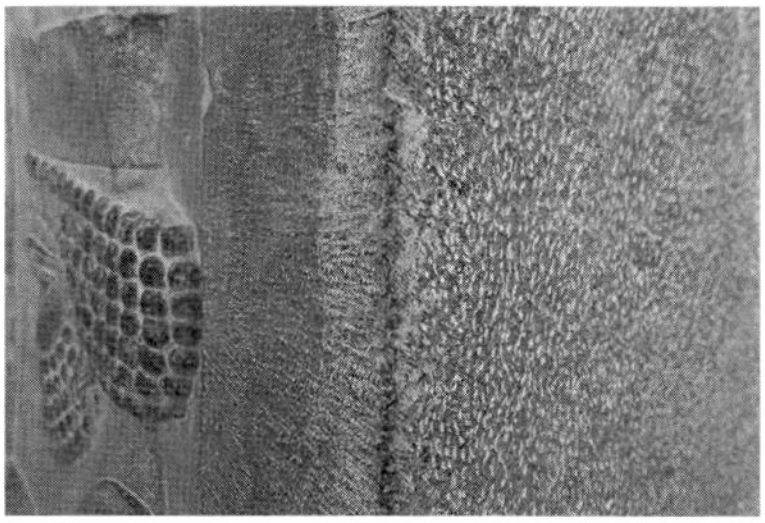

王墓の表面は様々な工具を使用していたことがわかる（ペルセポリス）

ペルセポリス謁見の間にあったペルシャ大王を謁見するレリーフ（イラン考古学博物館）

式を執り行う場であり、諸民族からの貢納を受け取る場であった。ペルセポリスの後方には山の斜面を切り開いてアルタクセルクセス二世の王墓が作られている。墓の前には二〇平方メートルほどの平場が設けられており、宗教的な儀式に使われた拝火壇の石が発見されている。

■ナシュク・イ・ルスタムの王墓群

ペルセポリスの北へ四キロの岩山の中腹にアケメネス朝の歴代の王墓が作られている。左からアルタクセルクセス、クセルクセス一世、ダリウス一世、ダリウス二世の順である。王墓はそれぞれ地表二〇メートル以上の高い断崖にギリシア十字形に岸壁を切り取り、正面に柱やゾロアスターの絵図が浮かし彫りで装飾され、中央に横穴式の墓室が設けられている構図である。その様式は亡骸を岩山の洞窟や岩の裂け目に葬るというペル

石材の裂け目には鉛が補充されている（イラン考古学博物館）

ペルセポリス百柱の間の柱頭を飾った対の牡牛像（イラン考古学博物館）

シア人の古代からの葬送に基づいたものと思われる。

参考文献

・アケメネス朝ペルシア　阿部拓児著　中公新書
・ペルシア帝国　青木健著　講談社現代文庫
・ペルセポリス　並河亮著　芙蓉書房

アケメネス朝の歴代王の墓が並んでいるナクシェ・ロスタム遺跡

インド編

インドに数多く残る石窟寺院などのダイナミックな大地の造形。四十数年前、最初にそれを目にした驚きと感動は今でも鮮明によみがえる。その驚きを胸に石屋として少し冷静になってじっくり観察しようと思い、インド各地を回ってみた。五回目となる今回のインド訪問は一か月間の気ままな一人旅だ。

一、アメーダバード

デリー経由で最初に訪れたのがパキスタンに国境を接するグジャラート州アメーダバード。ここはインド独立の父、マハトマ・ガンジーが「非暴力・不服従」の運動を展開した場所として知られている。インド全土では人口の約八十パーセントがヒンドゥー教徒だが、この地はイスラム教徒の住民が多い。街中には大小のイスラム寺院が多数あり、礼拝の時間になるとスピーカーの大きな音でコーランが流れてくる、そんな街だ。

ここを訪れた理由は、地下水のレベルまで地底深く掘り下げられた階段状の壮大な建築空間、階段井戸が街の近いところにあるからだ。

インドでは古代から宇宙の生成や世界の成り立ちなど、哲学的な思考が連綿と繰り広げられてきた歴史があり、それが信仰と結びついて深遠で独特なインド社会が形成されてきた。地・水・火・風という自然に対する強い信仰が、インドの地で様々な造形を生み出してきたことと密接な関係がある。

大地と水と建築が一体となった地底建築、階段井戸。大地の霊に包まれた地下空間は胎内を想起させる安息の空間である。その地底から湧き出る水は聖なるものとして尊ばれたことは容易に想像できる。乾燥地帯でもあるこの地では生活のために井戸は欠かせないものであり、まさに生命の源である。

この地下空間をより崇高な場所にするべく建築的にもダイナミックな構成を

ダーダー・ハリ階段井戸の入り口付近

ダーダー・ハリ階段井戸の建築空間。柱と梁からなる立体的な構図により奥深く見渡せる

ダーダー・ハリ階段井戸の奥の円形井戸から地上を見上げる

ダーダー・ハリ階段井戸内の方形井戸から地上を見上げる

マタール・ババーニ階段井戸の入り口付近

ダーダー・ハリ階段井戸の方形井戸の地底

とり、そこに装飾を施すことによって信仰と強く結び付き、人々は生きるエネルギーを得ていたに違いない。

■ダーダー・ハリの階段井戸

アメーダバード駅から約二・五キロ北に位置する階段井戸。駅近くのホテルから散策がてら歩いて行く。

十三世紀にはあったという井戸を、十五世紀にイスラム政権のダーダー・ハリ王妃によって作り替えたという深さ二〇メートルの階段井戸は、井戸がふたつあり、入り口に近い方形の井戸は当時の人々が涼をとる井戸として使われ、実際の井戸として使われたのが奥の円形のもの。現在は水脈が移り、枯れていた。

正面入り口から階段を下がって踊り場につくと、柱と梁で構成された立体的な建築空間が奥深くまで続いて見える。階段を下がるごとに太陽光がさえぎられ、ひんやりとした空気が感じられる。地底に向かって下がるたびに地霊に近づいていく感覚だ。

やがて方形の地底に到着。その奥に円形の井戸がある。見上げるとはるか上方に地上の光が見える不思議な階段井戸の空間体験。ここは柵などなく自由に入れた。

■マタール・ババーニの階段井戸

ダーダー・ハリの階段井戸から三〇〇メートル北にあり、大通りに面していて一見、寺院のような佇まい。小規模な階段井戸だが、今でも水をたたえ、信仰の場所として礼拝する市民が絶えない。井戸の周りや奥にある祭祀場は彩色豊かな旗や宗教器具で飾り立てられ、いかにもヒンドゥー教的な祭祀空間となっている。井戸の正面にはインドの水神・ナーガが祀られていた。はるか昔、アーリア人がもたらしたという蛇神信仰

マタール・ババーニ階段井戸。奥が祭祀空間だが、人々が礼拝しているので撮影はここまで

マタール・ババーニ階段井戸の正面に祀られたナーガ神

は、インドの民間信仰と融合して現在でもヒンドゥー教の神として生きているのだ。

また蛇神信仰は龍神信仰に変容して仏教とともに日本にも渡り、日本各地で水神様として祀られていることから、ここは何かとても親近感を覚えた。

■アダラージの階段井戸

アメーダバードの郊外、北に二〇キロの村にある階段井戸。西インドでは最も規模が大きく、豊富な装飾に彩られている。地上に突出している構築物は何もなく、三方向から階段を降りると上部が巨大な八角形吹き抜けのエントランス部と合流する構図となっている。

そこから四角の柱で構成された階段を下がっていくのだが、やはり下がるにつれ太陽光が弱まり、地霊に向かって巡礼の歩を進めているような感じとなる。やがて最後の立体格子を過ぎると、垂直に八角形の吹き抜けの空間が現れ、見上げれば地上光が遠く感じられて見える。そこから方形になった階段をさらに進むと円形の井戸に到達するという仕掛けだ。深さが三〇メートル。ひんやりとした空間はまさに胎内を感じる聖なる場所。

アダラージ階段井戸の入り口付近

アダラージ階段井戸中の建築空間。奥行深く見ごたえある装飾が施された空間が続く

アダラージでは修復作業に携わっているらしい石工さんが、砂岩の建材を荷下ろししていた

アダラージ階段井戸の地底。手前の網で覆われたところが実際の井戸

この井戸は、この地がヒンドゥー系の王朝に支配されていた時代にイスラム勢力が進出して、イスラム系の王がヒンドゥー系の王妃に求婚し、その王妃のためにつくられたという。井戸の出来栄えに満足した王は「同じ井戸をもう一つ作れるか」と、石工たちに尋ねたところ「できる」と答えたためにその石工たちは直ちに処刑されたというエピソードが残っている。求婚された王妃も完成するとその井戸に身を投げたという、悲劇の井戸である。

　これらの階段井戸はその岩盤をそのまま活かしてつくられているのではなく、いったん地面を開削した後、ほかで採れた砂岩系の建材で壁や柱、梁などが組み立てられている。

　アダラージでは修復作業に携わっているらしい石工たちが、砂岩の建材を荷下ろししていた。こうした修復の作業は地味ではあるが、階段井戸に関係する技術と意匠が未来につながることを期待しつつ、街に戻るリクシャーに乗り込んだ。

参考文献

・建築探訪のインド地底紀行　武澤秀一著　丸善
・西インド022アメーダバード　まちごとパブリッシング
・地球の歩き方　インド　ダイヤモンド社
・古代インド　中村元著　講談社学術文庫

アメーダバード最大のモスク、ジャマー・マスジット

アメーダバードにあるモスク、ジャマー・マスジットの複雑に組まれた石のドーム

二、ジュナーガル

アーメダバードからさらに南西へ三五〇キロ。急行の夜行列車で六時間、早朝にジュナーガル駅に着く。インド西側の小さな半島の奥まったところに位置する人口三十二万人の街。ここまで来ると東洋人を見るのが初めてらしい人たちも。街を歩いていると「チャイニー」「ジャパニー」と声をかけられたり、しげしげと顔を見られたりと、異国の地にいることを強く感じさせる街だ。

ジャイナ教およびヒンドゥー教の西インドでは最も重要な聖地・ギルナール山の玄関口として、多くの巡礼者が訪れる。イスラム教徒も多く、駅近くにはインド・イスラムの建築で最高傑作ともいわれる大きな霊廟がある。

この街の目的地は、紀元前四世紀に建設されたというウパルコート砦の敷地内にある二

1892年に完成した太守マハーバト・ハーン3世の霊廟、マハーバト・マクラバー

つの階段井戸とブッディスト・ケイブという小規模の石窟寺院だ。

■ナヴァハン・クーヴァ

街の中心から東側に約一キロ、岩盤を隧道のようにくりぬいたウパルコート砦の門を潜り抜け、坂を上るとナヴァハン階段井戸の入り口だ。凝灰岩質の岩場を掘削した坂道を下るとやがて階段になる。進むにつれ太陽光はさえぎられ、やがて真っ暗闇の中を手探りで降りていくようなところも。

井戸は方形状にまっすぐ地下に向かって垂直に掘り抜かれ、その井戸の壁を取り巻くように階段が取り付けられている。周りの岩壁は風化作用を受けて、まるで地球の内臓のような有機的な表情。地下五〇メートルにも達する井戸の底は、地下というより大地の内部そのものを感じさせる。途中、暗闇の階段を恐る恐る下がった感覚も相まって、井戸に潜む地霊に向かって進んでいくような感覚にな

マハーバト・マクラバーの右側に建つ太守の奥方の霊廟、ヴァジールルズ・マクバラー

ナヴァハン・クーヴァは岩場を彫り抜き、急な階段が井戸を取り巻くように掘られている

ナヴァハン・クーヴァ入り口付近。岩場が掘り抜かれ階段が築かれている

る。

この井戸は、造営が二〜三世紀と階段井戸としては最も古い部類とされる。その後十一世紀に手を加えられたといわれている。

■アディー・カディー・ヴァーブ

ナヴァハン・クーヴァから三〇〇メートル先に位置する。ここは直線状の階段がダイナミックに開削され、その先に大きな円形状の井戸が掘られているといった単純な構造である。

しかし、直線的な通路だけあって意外と傾斜がきつい。入り口から下を覗くと、一気に井戸まで落ちていくような気分になる。しかも、両脇の岩壁が大地の肉と血管を想起させるような少し薄気味の悪い景色となって井戸まで続く。大地の霊と水の霊が激しく交差して作り上げた空間、あるいは大地の霊と水の霊とが迫ってくるような空間など、想像力をかき立てられながら井戸までの階段を下る。

アディー・カディー・ヴァーブを上から見る

アディー・カディー・ヴァーブ井戸から入り口を見上げる

ナヴァハン・クーヴァの四角の窓のようなものは階段の明かり取りで、井戸の水面がその下に見える

井戸全体に地霊が息づいているような異様な雰囲気を持つ井戸である。この井戸も十一世紀から十五世紀につくられたという、階段井戸としては初期のもの。

■ブッディスト・ケイブ

アディー・カディー・ヴァーブから一〇〇メートルくらい西側に進むと、テラス状になった場所に出る。地下に降りていく小さな階段があり、地下二階式の構造を持つ、三〜四世紀に造営された仏教徒の僧院だった石窟寺院である。中の柱の装飾はかなりの風化作用を受けており、時間の経過を感じさせる静かな空間。

帰国後、資料を読んで、ここには小さな階段井戸のような沐浴場が併設されていることを知った。実際の空間はどんなものだったのか、当時の僧侶はどんな気持ちで沐浴したのか。残念ながらすぐ近くまで行きながら存在に気が付かず、行きそびれてしまった。

ブッディスト・ケイブ、地下２階広間。柱の装飾は風化が激しい

アディー・カディー・ヴァーブの井戸は大きく、円形状に建材石で仕上げられている。水面が下に見える

夜明け前、ギルナール山のふもとではたくさんの人たちが道端で寝込んでいる

ウパルコート砦に築かれた「ジャマー・マスジット」の屋上からギルナール山を望む

■ギルナール山

グジャラート州の最高峰、標高一〇三一メートルの巡礼地ギルナール山。ガイドブックでは、山頂まで九九九九段の石段を上がり、一日がかり（八時間以上）の行程となるという。夜明け前の早朝五時に宿を出て、リクシャーで四キロ先の登山口、ダモダール寺院に向かう。リクシャーは途中までしか入れず、徒歩で巡礼の入り口に向かう。

入り口が近づくにつれ、道の両側には多くの人たちがいて次第に混んでくる。まだ夜明け前で、道端にはたくさんの人たちが寝ている状況にもかかわらず、各寺院のスピーカーから発せられるマントラや音楽、打ち鳴らされる鐘の大きな音などで騒々しく、異様な光景だ。ラッシュ状態の入り口ゲートをくぐり抜け、階段を上り始める。両脇には様々な売店が続き、売店が切れたところでは、行者のような人たちが巡礼者を相手に語りかけている。

ようやく人混みが途切れたあたりから来た道を振り返ると、寺院が建ち並ぶ集落の灯りがまるで光の雲のよう

ギルナール山参道途中から、夜明け前の登山口の集落を望む

に見えている。そこから進むと、豪華なジャイナ教寺院が群れ建っている場所に。さらに上には幸せな家庭が築けるというご利益があるアンバー・マーター寺院があるが、ここまで到着するのにものすごい人波で長い時間がかかる。

ここからも何度か渋滞を経て、ようやくとんがった峰に建つグル・ダットリヤ寺院に到着。山頂まで五時間半かかったが、あまりの人出なのか、追い立てられるようにその小さな寺院を後にする。

ギルナール山は全体が玄武岩質の大きな岩山で、奇岩も多数ある。このような特徴のある山は昔から聖なる山、山岳信仰の対象としてインド人の間で崇められてきたのであろう。頂上までの通路にはすべて石段が敷かれ、ジャイナ教の寺院の壮麗さも半端ではない。

濃密なインド人の巡礼熱を体験し、山を下りる。帰りは途中からさすがに膝が痛くなり、九九九九段の階段を実感。ヘトヘトになりながらようやく午後二時に下山。九時間に及ぶ「行」をようやく終えた。

山全体が一つの岩の塊であることを感じさせる岩壁。へばりつくように取り付けられた石段を登って山頂に向かう（ギルナール山）

ジャイナ教が祀る岩山。ジャイナ教は自然崇拝志向が強く、装飾はない（ギルナール山）

ギルナール山頂のグル・ダットリヤ寺院。中にはヒンドゥの神々が祀られていた

三、ムンバイ・アウランガバード

人口一二五〇万人を擁する西インド最大の街、ムンバイにはジュナーガルから夜行列車で一五時間、夜明け前に到着。ムンバイから先は各地の石窟寺院を巡る旅となる。ホテルのロビーで仮眠した後、早速、郊外電車で市の中心部から約四〇キロ北のカンヘーリー石窟寺院に向かう。郊外電車を降りる頃にはムンバイのラッシュ時間と重なり、ドアのない電車の乗降口に降りる客などにはお構いなく乗客が我先に乗ろうと飛び込んでくる。ようやくの思いで強引に降りられたものの、思わぬところでインド版ラッシュの洗礼を受ける。

アウランガバードはムンバイの東、三五〇キロのデカン高原にある。アジャンタ・エローラへの中継基地として、多くの観光客が訪れる街だ。石窟寺院がアウランガバード周辺に多いのは、インドの古代の交通路と密

インドの列車にはドアがない車両が多く、満員の乗客を乗せて合図もなく走り出す

カンヘーリー石窟寺院・第３窟（6世紀後半）

カンヘーリー石窟寺院・第３窟の内部

接な関係がある。

　ユーラシア大陸をまたぐ大幹線シルクロードから分岐して、インド北部のガンジス川沿いに進みベンガル湾に到達。そこから東南アジアに抜ける大動脈があり、その路をアグラからさらに分岐してデカン高原を縦断して、宝石類の産地でありデカン地方産物の一大集積地であったハイデラバードに。そこから大海の港に抜けるデカン高原の動脈があり、その中継地としての街がアウランガバードであった。

　その物資の流通によって大富豪となった商人やその後ろ盾である王侯貴族がスポンサーとなって多くの石窟寺院はつくられており、その造営に適した岩盤がデカン高原の西部にあったのである。

■カンヘーリー石窟寺院

　広大な国立公園入口から七キロ先にあり、入り口で入場料を払い、そこからタクシーで石窟寺院の入り口へ。石窟寺院見学に再度入場料を払い、階段を上った丘陵地に百以上の仏教石窟寺院が点在する。全体が火山灰と溶岩で堅く固まった凝灰岩のような岩質で、想像を絶する

カンヘーリー石窟寺院・第 31 窟のスツーパと彫刻

ような硬さではなさそうだ。

開窟は二世紀ごろから始まり、数世紀にわたって行われてきた。石窟寺院の多くは風化が進んで傷んでいるが、第三窟は保存状態が良く、規模的にも前期のインド仏教石窟寺院の中では二番目の大きさとのこと。前庭の左右の門柱や両側壁には大きな仏像が彫られ、豪華で見応えがある。

第四窟からさらに岩山の階段を上ると、ここには数百人もの僧が住んでいたというだけあって、僧院だけの簡単なつくりの石窟が多くなり、見る速度が速くなる。その中で、第三十一窟内部に彫られたスツーパ、講堂らしい広間の第六十七窟の壁の仏像彫刻群は保存状態が良く、完成度も高いので必見。多くの石窟を足早に見ながら進んでいくと、やがて岩山の頂上へ。ここからの眺めは素晴らしく、ムンバイの高層ビル街がかすんで見える。

岩山に掘られたカンヘーリー石窟寺院の僧院群

カンヘーリー石窟寺院・第67窟の講堂内の彫刻

三方向に開いた内部空間はかなり広い（エレファンタ石窟寺院）

エレファンタ石窟寺院第1窟（8世紀）全景。この不安定な岩塊を掘り進んで行ったことに驚く

■エレファンタ島石窟寺院

インド門近くの船着場から船で約一時間、エレファンタ島に着く。お土産屋が並ぶ通路を抜け、長い階段を上がると、ポルトガル人の破壊を免れた第一窟が見えてくる。溶岩の塊のような岩盤は状態が良くないのか、石窟の前部分はかなり補修されている。ここはヒンドゥー教の石窟寺院で六〜八世紀の作とされる。内部は三方向に抜け、精緻な彫刻が施された迫力ある柱に支えられた空間が広がる。

古代インドには「神は自然の洞窟の奥深くから信者の前に姿を現す」という考えがあるという。このヒンドゥー教の教えを体現するかのように、奥中央の壁には大きなシヴァ三面上半身像が彫刻され、この石窟の見どころの一つとなっている。他にも様々な神々が壁面に彫られ、ヒンドゥー教の神話の世界に入り込んだような石窟寺院だ。一九八七年、ユネスコ世界遺産に登録された。

エレファンタ石窟寺院第1窟の中央奥に彫られた「シヴァ三面上半身像」が岩壁から迫ってくる

ヒンドゥーの神々の世界を壁面いっぱいに表現（エレファンタ石窟寺院・第1窟）

アウランガバード石窟寺院第3窟（6世紀）の見事な彫刻

■アウランガバード石窟寺院

アウランガバードの街から北に三キロほどのデカン高原にあり、六〜八世紀にかけて仏教徒によって開窟された。この周辺の岩質は溶岩が多孔質状に固まったもので、塊としてはかなり硬いが、多孔質で相当の労力は伴うものの、道具の効きは比較的良さそうである。

石窟は全部で十窟ある。このほかに途中で放置されたものが数窟。第四窟だけが紀元前に開窟され、ほかはアジャンタ石窟寺院の造営が中断した時期に開窟されたものだという。

第四窟は以前から知られていたが、掘られた石窟の状態を観察すると、溶岩質の岩塊に異質鉱物の混入が多くみられ、岩盤の状態が良くない。この場所で再度掘られるようになった事情は、全容が解明されていないようだが、当時の石工の技術や心意気を証明するような素晴らしい石窟が数窟、特に第二、第三、第六、第七窟は見応えがある。

第六窟以降の石窟は入り口から右手の通路に沿って存在するが、先に進むにつれて岩質が不安定になり、掘削作業も困難を極めている。一番奥の放置された石窟は「よ

前部分が崩壊し内部がむき出しになったアウランガバード石窟寺院第４窟（紀元前１世紀）

くもこんなところを掘ったものだ」と思うような状態。人間の技術や心意気が通じない、見るからに不安定な岩塊と対峙して、どんな思いで作業にあたったのであろうか。指揮官も判断が難しかっただろうが、実際の作業者である石工の状況が気になって仕方がなかった。

参考文献

・空間の生と死　アジャンタとエローラ　武澤秀一著　丸善
・インド仏教寺院の成立と展開　平岡三保子著　山喜房佛書林
・世界美術大全集・東洋編13 インド　小学館
・インドの歴史　近藤治著　講談社現代新書

不安定な岩塊を補うように分厚く塗られたアウランガバード石窟寺院・第6窟（6世紀）の漆喰。何層にも重ねて塗られている

硬そうな岩塊を力づくで彫った様子が分かる。かなりの重量のつるはしを振り下ろしたような道具跡。あるいはノミとハンマー、二人掛かりか？（アウランガバード石窟寺院）

途中で放置された石窟。岩塊をブロック状にして外していった跡が見られる。掘るにはかなり危険な状態の岩だ（アウランガバード石窟寺院）

四、　ロナバナ・プネー

ムンバイから東に一一〇キロ、二時間ほどで早朝のロナバナ駅に着く。ロナバナは標高六〇〇メートルのデカン高原にあり、お目当ての石窟寺院の最寄りの地点。周辺には観光地や観光施設があり、ちょっとしたリゾート地だ。宿のロビーは涼しい風が通り抜け、過ごしやすい。宿に着いてすぐ主人に「この近くの三か所の石窟寺院に行きたい」と伝えると、友人のインド人がガイドをしてくれるという。早速、ガイドの運転するオートバイの後部シートに相乗りし、石窟寺院見学に向かう。

■カールリー石窟寺院

ロナバラのホテルから北に三〇分、紀元前後につくられた仏教窟、カールリー石窟に着く。通路になっている階段の両脇には売店が並び、礼拝客が多い。石窟の入り口右側に建っている

カールリー石窟寺院入り口のファサード

カールリー石窟寺院の入り口にはヒンドゥー教寺院が建ち、多くの人たちがお参りに

ロナバラの街郊外の人工湖、ロナバラ湖。乾季で遠浅になり、網で魚捕り

カールリー石窟寺院の壮麗な内部空間

ヒンドゥー教寺院の参拝客たちだ。石窟に入る客は少ない。

ここのチャイティア窟は仏教窟として最大の大きさである。前部両側に彫刻が施され、上部のアーチに木製の格子が取り付けられた入り口から中に入ると巨大な内部空間が現れ、先ずはその豪華な造りに驚かされる。両側には頭頂部に男女の像が彫刻された装飾性豊かな柱が立ち並び、天井には木製のアーチ状の垂木が整然と連続して張り巡らされ、荘厳である。

奥にある木製の天傘が取り付けられた巨大なストゥーパまで進み、見上げると石窟の天井が意外に高く感じられ、天傘を支える柱がまるで宇宙軸のように天傘を突き抜けて天上界まで続いているように見える。まさに胎内大地は無限の宇宙空間を孕んでいる。一瞬そんな思いに駆られ、大地の切り込まれた空間であることを忘れてしまうような不思議な感覚に陥る。このような空間がすでに紀元前後にはつくられているのだ。西方から何千年と絶え間なく襲って来る文明の流れを受け止め、インドの地で生

頭頂部に男女の像が彫刻された装飾豊かな列柱（カールリー石窟寺院）

まれ育ったインド仏教の想像力にすさまじいエネルギーを感じた。

■バージャー石窟寺院

カールリー石窟から南へ六キロほどのところに位置する、デカン高原では最初期の紀元前二世紀に造られた仏教窟。石窟の奥にあるストゥーパは磨き上げられ、仏塔に対しての強烈な崇拝心が読み取れる。初期の石窟は天井にアーチ型の垂木を取り付けているものが多いが、ここは仏塔の後ろにまでわたってドーム状に取り付けられており、まるで天井全体を木部で支えているような錯覚に陥る。

しかも柱までもが内側に傾斜して、天井板からの圧力を支えているような形となっている。全体は岩盤で支えているので、天井板や柱の傾斜は完全に意匠的なもの。また、内部と外部の仕切りであるファサードが欠落している状態となっているが、開窟していく際に大量に出る石の残骸を取り出しやすくするためなのか、このファサードも最初から石ではなく、後に木で取り付けたものが長い年月で消失してしまったという。基本的に石の構造物であるのに、なぜこのように木を多用し、木造建築の意匠にこだわったのか不思議な気がする。

このチャイティア窟の他には僧の住居である僧院が二〇窟あり、初期のものとしては大規模な石窟寺院といえる。またここから右手に進むと、歴代高僧のスツーパ一四基が並んで置かれている場所がある。

■ベドサー石窟寺院

バージャー石窟から南九キロ、オートバイのガイドは場所が分からず、途中何度も付近の村人に訪ね、石窟までの狭い凸凹道をすり抜けてようやく到着。階段を上った岩山の中腹にベドサー窟がある。やはり紀元前後に造られた初期の仏教窟。ペルシア様式という獅子像彫刻がある巨大な二本の塔柱を通り抜け、中に入ると意外と簡素な空間。しかし天井に近い壁にはアーチ型の垂木を取り付けたと思われる跡が残り、壁穴が規則正しく連続

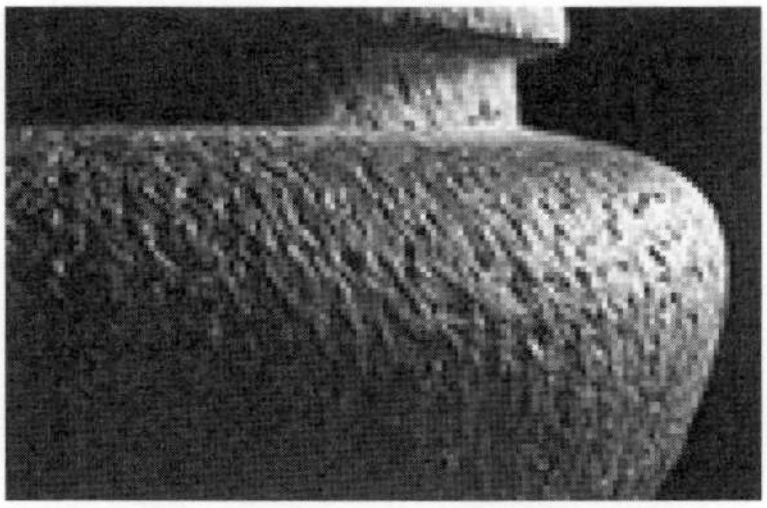

陰影が美しく浮かび上がる彫跡。フォルムもきれい（カールリー石窟寺院）

バージャー石窟寺院の簡素な内部空間。きれいに磨かれたストゥーパが安置されている

バージャー石窟寺院

チャイティア窟の右手には14基のストゥーパが安置（バージャー石窟寺院）

して開けられていることから、同じように垂木が天井いっぱいに取り付けてあったものと思われる。

奥のストゥーパの頭頂部には木製の柱のようなものが刺してあるが、これを外してストゥーパの中に舎利を入れたのであろう。この隣には広く馬蹄形にデザインされた僧院窟があり、しかも一部屋ごとにチャイティア窟入り口の彫刻が施されている。全体的に洗練された感じの僧院であり、高僧たちが住んでいたのかもしれない。

■バタレーシュワラ石窟寺院

ロナバラで三か所の石窟を見学した後、翌日はのんびりと郊外を散策。次の日、列車で九〇キロ先のプネーに移動し、午後に街中にあるバタレーシュワラ石窟へ。この石窟は街の岩盤を半地下状に開窟してある。車の往来も激しい大通りに接し、今は市民の憩いの場所となっている公園のなかにある。エレファンタ島石窟と同じ時期の八世紀造営のシヴァ神を祀った寺院とのこと。今はその当

巨大な柱の彫刻があるベドサー石窟寺院の前部

バージャー石窟寺院の高台からデカン高原を見渡す

洗練された感じの僧院窟（ベドサー石窟寺院）

ベドサー石窟寺院の内部空間。天井の垂木が欠落している

時の彫刻はすべてはぎとられ、別の神様を祀ったヒンドゥー寺院となっていて市民がお参りをしていた。

プネーは人口三一〇万人の経済的にも文化的にも豊かな文教都市。緑豊かな新市街地の一角に、世界的に名高い神秘思想家ラジニーシが創設したオショー・メディテーション・センターがある。その付近は超高級住宅が建ち並び、インド富裕層の生活を垣間見ることができる。この街でも路上生活する人々をたくさん見て驚き、ここで優雅に暮らす人々の生活を想像し、改めて複雑な思いが残った。

参考文献

・世界の歴史４　悠久のインド　山崎利男著　講談社

ベドサー石窟寺院の彫りかけのストゥーパ。きちんと面出しをした後に形を彫り込んでいく様子が分かり、興味深い。手前の岩を掘った痕はつるはしのようなものを使用したものか？

バタレーシュワラ石窟寺院の内部空間は意外と広い。今もヒンドゥー教の参拝者が訪れる

バタレーシュワラ石窟寺院の入り口付近

オショー・メディテーション・センター。この付近は門番付きの超高級住宅街

五、　アジャンタ

プネーから夜行列車で九時間、ジャルガオンという小さな町からバスに揺られて二時間でアジャンタのバス停に到着。石窟入り口へ向かう。石窟入り口へのシャトルバスを待っている間に日本語を流暢に話すガイドが「格安料金で」というのでガイドを頼むことに。

アジャンタは紀元前二世紀ごろから、途中の中断期間をはさんで五世紀から七世紀ごろまで造営された仏教石窟寺院群で、未完成の石窟を含めて三〇窟ある。壁画や彫刻など規模もさることながら完成度も素晴らしく、一九八三年に世界遺産として登録された。十九世紀の初頭に再発見されるまで千年以上もジャングルに閉ざされていたが、開窟が行われていた当時はインドの北の内陸部から南の海岸部を結ぶ交通の要所であったことが知られている。

アジャンタは様々な書物で紹介されており、紙面も限られていることから、一般的なことは他に譲る

アジャンタ遠景

ことにして、筆者の個人的な観点で書くことにする。

■チャイティア窟・ストゥーパの変遷

アジャンタの石窟は中ほどに位置する第九、十、十二、十三、十五窟が最も古いとされ、これらの前期石窟を核として、左右に開窟が進められたことが分かっている。およそ八百年にわたって断続的に造営されたわけだが、その長い期間に仏教窟の礼拝対象であるチャイティア窟中央奥に安置されるストゥーパの様式が変化しているのを見ることができる。

第九窟は紀元前一世紀ごろのストゥーパの様式で造営。それが五世紀に開窟されたという僧院の第十一窟で

精緻な彫刻と壁画に飾られた第２窟（5世紀後半）

前期ストゥーパ様式を安置する第９窟（紀元前１世紀）

は、前面にある釈迦像が、その後ろにストゥーパを背負った様式となっていて、崇拝の対象が釈迦像に移っていることを表している。同時期に造営された第十九窟は装飾性豊かなストゥーパの中にお釈迦様が立っているような意匠となっており、礼拝者はストゥーパを参拝しながら同時にお釈迦様もお参りするような構図となっている。さらに五世紀後半に造営された第二十六窟では、お釈迦様の説法像が完全

奥に鎮座する釈迦像、第11窟（5世紀）

ストゥーパや柱、すべてが過剰なくらい装飾豊かな第19窟の内部空間（5世紀）

釈迦像の真横から見ると後ろにストゥーパが彫られている第11窟

にストゥーパの前に位置し、ストゥーパの台座も単なる台座というよりは、お釈迦様に対する尊厳性を表現しているような装飾が施されている。仏教における信仰対象が舎利（遺骨）信仰から仏像重視の信仰形態に推移していった様子が見てとれて興味深い。

■開窟の様子

石屋としての筆者の関心は、これほどの石窟をどのようにして開窟していったのか、その方法と道具立てである。第二窟の天井のように溶岩の流動が分かるような箇所もあり、掘れるところは掘りながら臨機応変に作業判断がなされている。

アジャンタは三十窟の内、実に十四窟が未完成窟であり、いかに岩盤の状態が不安定だったかがうかがい知れる。未完成窟の第二十四窟は、まるで当時の作業現場に入り込んだようだ。開窟作業は岩盤を大きくブロック状にしながらそのブロックを外して進んでいったものと推定できる。決して、ノミでコツコツ掘ったわけではない。同じく第二十四窟では

釈迦像が完全にストゥーパの前に来て座っている第26窟（5世紀後半）

当時の作業過程が推定できる未完成の第24窟

岩盤の不安定な天井はそのままになっている未完成の第2窟

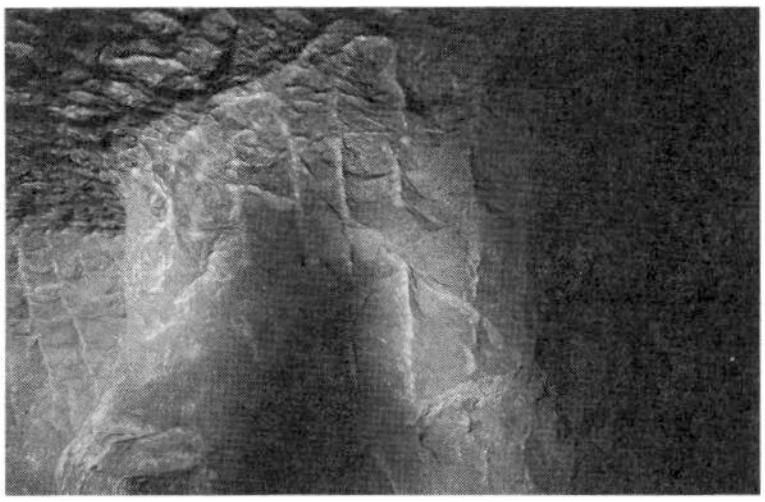

未完成窟に残る荒々しい道具痕。かなり強引に岩盤を打ち砕いた様子

中央の柱は彫刻が完成している第24窟

暗い石窟内部に鏡で太陽光を反射させて光をとりこんで作業していたとの事。その当時の鏡は今でも第8窟に保管されている

柱の部分はつるはしのような道具痕。梁の部分はノミの痕。道具を使い分けている

手前の柱を細部の彫刻まで仕上げてあることから、同時進行的に様々な分野の石工が作業していたことが分かる。使われた道具はノミとハンマーは勿論だが、重いつるはしのような道具を単独で振り下ろして作業し、少しでも自由の利くところはもう一人がつるはしの頭をハンマーで打ち付けながら掘り進んだものと思われる。

岩盤自体はアウランガバードと同じ玄武岩質の岩質で硬そうだが、多孔質であるので道具は効きそうである。

■絵画の顔料

アジャンタ石窟の絵画は、描かれた当時の絵画が状態よく残っていて、その時代の宗教思想や民俗、史実などの様子を知る手掛かりになることでも評価が高い。絵の具材、顔料は岩盤に含まれる様々な鉱物が主だ。

顔料にした鉱物は今でも岩盤の随所で見ることができ、それを粉末状にして、付近に自生する藻類などの植物や枯草などと混ぜて具材とした。ただし青色のラピスラズリだけはバクトリア（現在のウズベキスタンおよびタジキスタン南部とアフガニスタン北部付近）から貿易商人によってもたらされたという。

岩盤のいたるところに混入する顔料の材料となった鉱物

多くの石窟の床には大小の穴が多数あり、それは、再生や不滅のシンボルとして世界的に信仰されてきた「盃状穴」（石造物に穿たれた盃状の穴）と思ったが、ガイドから「顔料をつくった跡」と教わり合点した。

どこの石窟でも必ずしも岩盤が垂直になっているわけではなく、石窟を造営する前作業として、傾斜のある岩盤を垂直にしなければならない。見学道路を歩きながらその作業痕跡がないかと探しながら進んでいくと、削岩機で開けたようなドリル穴がある。しかも一か所ではなく何か所も。ガイドに聞くと当時に開けたドリル痕だという。

長いエンショウノミを手で回しながら穴をあける技術があり、当時もそのようにして開けたものかと思ったが、セリ矢を用いて岩盤を外すには穴を連続して開ける必要がある。ここではすべてが単独の一本穴で、火薬を使わなければ岩盤は外れない。

岩盤のいたるところに混入する顔料の材料となった鉱物

見学路の岩盤で見かけたドリル穴

火薬は世界史的には中国・唐代に発見されたものであり、時代が合わないので、十九世紀に再発見された後、通路を確保する際に開けられたドリル穴との結論に。ガイドの言うことをすべて鵜呑みにしてはいけないということか。

さらに注意深く進んでいくと、外部の岩盤にもやはりつるはしで打ち付けたような跡があり、その道具跡と削岩機のようなドリル跡の風化の様子を比べ、筆者の推測は正しいものと、さらに確信を深めた。

見学路で見かけたつるはしのような道具跡

六、エローラ

宿の近くの両替所で一緒になった日本人の若者とオーランガバードからバスに同乗し、一時間程で到着。六世紀から九（五～十？）世紀ごろまで造営され、仏教石窟群十二窟、ヒンドゥー教石窟群十七窟、ジャイナ教石窟群五窟と全部で三十四窟の石窟があるインドを代表する石窟群で、一九八六年世界遺産に登録された。最初に開窟したのはヒンドゥー教で、次いで仏教がインドで衰退していく中で仏教窟が開窟され、九世紀にこの地を治めた君主がジャイナ教を保護したため、ジャイナ教窟が造られたという経緯がある。

ここでは三つの宗教の石窟寺院が、それぞれ造られた時期が重なっているにも関わらず、どれもが破壊されることなく並んで残っている。インドの人々の宗教に対する寛容性を表しているようで興味深い。

エローラ第10窟。仏像がストゥーパの前に置かれ、主な礼拝の対象にすり替わっている

第12窟の柱には装飾が少ない

エローラ第12窟全景。1・2階が僧院で、3階が講堂

■仏教石窟群

仏教石窟群で注目したいのが、インドのチャイティア窟では最高峰といわれる七世紀に造られた第十窟。前項の「アジャンタ」でストゥーパ（仏塔）の変遷を見てきたが、ここではストゥーパの前に大きな釈迦像が置かれ、ストゥーパ自体の存在が後退して、完全に仏像が礼拝の対象となっている。

同じ彫像でもヒンドゥー教の神々は力強く躍動的で神々のそれぞれの役割を物語るような動きをとるが、それに比べて仏像はダイナミックさに欠け、あくまでも静かで内面的である。こんなところも仏教がインド民衆にとって受け入れづらい理由になっていったのかもしれない。

次に取り上げるのは、三階建てアパートのような第十二窟の僧院。この石窟は最初から岩盤の状態がよくないのを見越したのか、前からではなく真上から垂直に掘り進んで開窟されている。中の構造は、安定しない岩盤の状態を補強しているかのように、柱が数多く取り付けられている。機能的な意味合いが強いのか、柱の装飾はほとんどない。今まで見てきた装飾豊かな石窟に対する情熱は全く感じられず、仏教の衰退を象徴しているかのようである。

■ヒンドゥー教石窟群

ここでは何といっても八世紀中頃に開窟された第十六窟のカイラサナータ寺院が見どころである。奥行八一メートル、幅四一メートル、高さ三三メートルにわたって切り開かれ、塔門や寺院部分を掘り残した巨大さに、何度訪れても心を奪われる。彩色跡もわずかに残っており、完成した当時の荘厳さが偲ばれる。

今回はこれだけの寺院をどのようにして掘り上げたのか、その作業痕跡を探すことに。ヒントは寺院の外周にあった。寺院脇の岩盤山として残っているところにブロック状に成形したまま放置している箇所があったのだ。この状態からブロックごと

第12窟の3階にある過去七仏を表す仏像。静かに説法する姿を表している

第16窟、カイラサナータ寺院。どの程度の深さで岩盤を外していったのか、壁にはその跡が筋状になって残っている

に外して大まかな開窟を進めていったようである。寺院を取り巻く岩盤にはつるはしのようなもので掘ったような痕が各所に。そのほかには連続したロット穴のような痕も。この程度の間隔だとセリ矢ということも考えられる。いずれにしてもヒンドゥー教の威信をかけた大事業であり、当時考えられる様々な手法が用いられたことは想像に難くない。

なお、ヒンドゥー教の石窟はすべて神々を祀るために造られたもので、仏教窟のように僧が修行の場として住んだ僧院窟はない。

■ジャイナ教石窟寺院群

ヒンドゥー教石窟群から一キロ離れたところにあり、観光客も少なくなる。九世紀ごろに開窟された第三十二窟が最も優れている。ジャイナ教の石窟寺院は、中央奥に本尊を祀った部屋があり、そこを中心に様々な装飾があるという造りで、他の宗教のものとその様式はほとんど変わりない。ただ筆者が注目したのは柱の彫刻である。理知的な繊細さに満ち、何とも言えず美しい。このようなジャイナ教の美の根源はどこにあ

第16窟。ダイナミックなヒンドゥーの神々と、彩色の跡

第5窟の床が完全に仕上げられていない講堂

るのか知りたくもなった。

■インド仏教の隆盛と衰退

エローラ仏教窟ではこれまで盛んにつくられてきた仏教窟の衰退の様子を見た。インドには全部で約一二〇〇の石窟寺院があり、そのうち約九〇〇が仏教窟であるとのこと。インドで石窟寺院が造られ始めたのは紀元前二世紀ごろとされ、そのころから仏教窟が盛んに造られた。

手元の資料によると、古代インドは紀元前千五百年ころ、バラモン教が盛んな時代にアーリア人とともに入ってきた。呪力と身分制度がすべてを支配する社会に対して、「菩提心を起こした人はすべて菩提として完全境地に達する」という仏陀が説いた人間平等の新たな教えが、ローマ貿易によって莫大な富を蓄積し、新たな富裕層となった商業資本家に受け入れられ、彼らがスポンサーとなって盛んに仏教窟が造られた。広く商売をするた

第16窟の塔柱と寺院。その巨大さに誰もが感嘆する。部分的に彩色の跡が残る

第16窟。ブロック状にして岩盤を外していった様子がよく分かる

第16窟に残る開窟跡。道具はつるはしのようなものか？

第16窟に残る開窟当時のものか不明なドリル跡。この程度の間隔だとセリ矢は効くが

めに自由な交通・通商を希望し、国境やカーストの制度は邪魔になったのである。それと同じくして、そのころカーストや種族の対立を乗り越えてインドの統一国家を目指していたマウリヤ王朝（紀元前三一七～同一八〇年頃）との思惑が一致したのだ。さらにアショーカ王の時代になると、仏教が国家宗教として盛んに流布されるという歴史的・社会的な背景がある。

しかし、仏教の教えは宗教というより思想的で、インド民衆に広く受け入れられていたわけではなく、グプタ時代（三二〇～五五〇年頃）には古典復興の波に乗って体系化されたヒンドゥー教がインドの正統な民間宗教としてインド社会に浸透していき、さらに五世紀以後になると西ローマ帝国が没落し、それまで仏教を支持してきた商業資本家も衰退し、それとともにインドでの仏教は力を失っていったという。

ジャイナ教石窟の第32窟。様式的には他の宗教石窟と変わらない

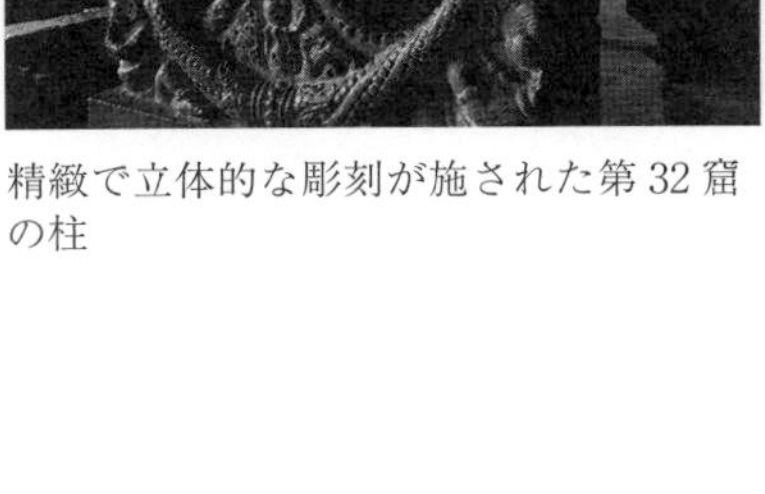

精緻で立体的な彫刻が施された第32窟の柱

うっとりするような第32窟の柱の装飾

七、バーダーミ

アウランガバードから夜行列車でムンバイへ。そこから空路でゴアを経由してフブリという小さな町へ。さらに車で二時間半、一日がかりの移動で夜の十時にバーダーミの街に到着。ここは今では小さな町だが、六〜八世紀ごろに現グジャラート州南部からタミル・ナードゥ州北部まで勢力を伸ばした強力な国、チャールキア朝の首都がおかれていた町である。

南北二つの岩山に挟まれて町があり、その中央には五世紀に造られたダム湖のような貯水池がある。バーダーミの見どころは、この貯水池周辺に集まっていて、岩山には砦の跡や城門跡があり、さらに七世紀に造られたいくつかの寺院、貯水プール、倉庫などの遺跡が点在している。岩山からは町を一望でき、さらにデカン高原の遥か彼方まで見渡せ、絶景が広がる。眼下にはバーダーミ貯水池で洗濯に勤しむ女性たちの姿も。

石窟寺院の岩山から見た街の眺望。バーダーミの街は堰堤に沿って広がっている。デカン高原の遥か彼方まで見渡せ、絶景が広がる

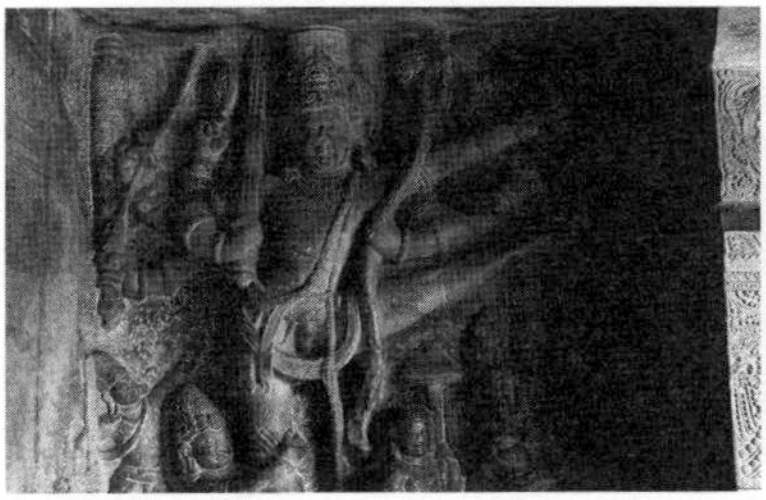
世界を３歩で跨いだというビシュヌ神の物語の彫像（バーダーミ）

バーダーミ第３窟を見上げる。広角レンズでようやく全景が収まる

■バーダーミ石窟群

貯水池の南側の岩山には四つの石窟があり、第一～三窟までが六世紀後半に造られた石窟で、ヒンドゥー教窟としてはインド最古とのこと。第四窟は七～八世紀に造られたジャイナ教窟となっている。

岩盤自体は砂岩質の岩山で、道具はかなり効きそうである。いたるところにクサビ穴痕があり、それで大きく岩を外し、ノミやつるはしのようなもので掘り進んでいったものと思われる。通路付近にはロット穴も多数見つけたが、それはアジャンタと同じように、後世に通路を整備するときに削岩機で開けられた痕であろう。

四つの石窟のうち、約二一メートルの間口に六本の柱を持つ第三窟が最も大きい。入り口の両側にはビシュヌ神の姿があり、躍動的でまるで岩から飛び出してきそうである。天井はヒンドゥー教の世界を表す独特の彫刻に飾られ、彩色もわずかに残っている。しばらくの間、当時の荘厳さに思いを馳せる。

ヒンドゥー教では至高の山岳神・シヴァ神の天上の住まいであるカイラス山に代表されるように、山に対する信仰が篤く、自然の洞窟は神々が宿る場所として、この上なく神聖なものとして考える。岩山を人工的に開窟し、そこに様々な神々を彫りだすことは、まさにヒンドゥー教の世界を具体的に再現することであり、礼拝の場所として最も神聖な空間となる。

また、宇宙軸の象徴として山があり、そこの真横に開窟された洞窟は、天と地とが交差する場所として神々の確かな存在を感じさせる空間となる。バーダーミの石窟は切り立った断崖に造られ、見上げると恐ろしいほどの高い山を感じさせ、神々しくもある。この場所が、インドで初めてヒンドゥー窟が造られる場所として選ばれた、確かな理由があることを実感した。

天井に彩色の跡がのこるバーダーミ第３窟の入り口部分

バーダーミ石窟の岩盤に残るクサビ穴痕。クサビ穴痕は何か所もあり、この方法で岩盤を開いていったことがわかる

通路付近ではロット穴も多数見かけた。後世の通路整備時に使用した削岩機痕と推定される（バーダーミ）

石窟の天井部にはつるはしで削った様な痕が（バーダーミ）

床のあちらこちらには顔料を作った痕跡が見られる（バーダーミ）

■アイホーレ石窟殿

バーダーミから東へ三三キロ。四～六世紀に造られたヒンドゥー寺院が百以上残る、遺跡の中の小さな村アイホーレ。その寺院群から五〇〇メートル離れた小高い岩に、六世紀に造られたシヴァ神を祀る小さな石窟がある。その内部に、ヒンドゥー教のダイナミックな神々が彫られ、小さい割には見応えがある。

岩質はバーダーミと同じ砂岩で、ここにもクサビ穴痕があり、削岩機のロット穴痕もあった。それらの道具痕はバーダーミと同じように用いられたものと思われる。

■バッタダカル

バーダーミから東に二一キロ。マラブラーバ川という川に面した小さな村、バッタダカル。ここには石窟はないが、六～八世紀に建てられた八つのシヴァ神を祀ったヒンドゥー教寺院と、少し離れたところにジャイナ教寺院がある。一九八七年に世界遺産登録になっていることから足をのばしてみた。

ここの建築群には北方型と南方型の両方の寺院形式が並んでいて、その違いを理解できて興味深い。建築には疎いので、あまり気乗りせずに回ってみると、当時の建築石組の様子が見て取るようにわかり、とても面白く、結局、何度も見て回ることになった。

村はずれにあるアイホーレ石窟

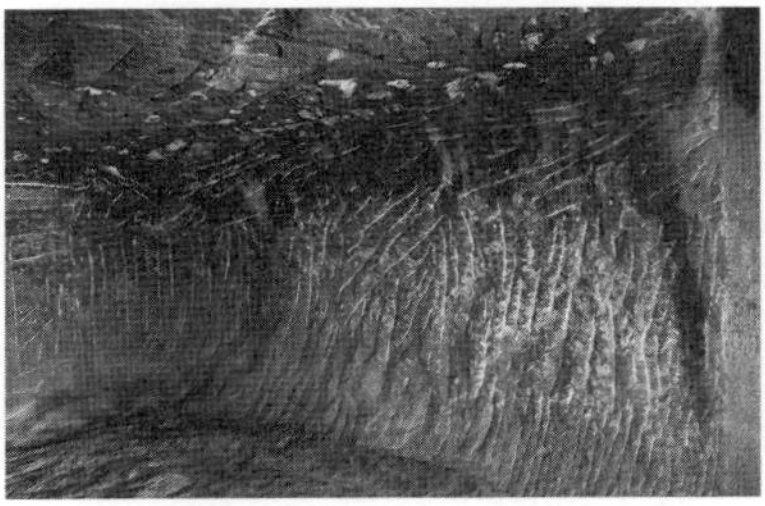

アイホーレ石窟に残る、つるはしかノミで削ったと思われる道具痕

中には世界遺産登録に間に合わせたような修復工事跡があり、宗教的動機に基づいた造形と、金銭や効率的な事情を理由とする作業との違いが、歴然としている。考え方・意識の違いがはっきり表れていて、石屋としてとても残念。今後も、恒久的に残さねばならない世界的な遺産と捉えれば、建築当時と同じような心意気で取り組んでほしかった。

バッタダカルは「ホーリー」と呼ばれるヒンドゥー教のお祭りが開催されていた。筆者が訪れた二〇二〇年は、三月九日を挟んで一週間がその開催期間だという。訪れたのは三月七日で、丁度お祭り週間の二日目だった。世界遺産の寺院では、今も変わらず儀式が行われ、大勢の村人が着飾ってお参りしている。

遺跡を見終えた後、近くの川に行くと、何十人もの女性たちが洗濯をし、子供たちは川遊びに興じている。

お祭りの様子に興味を覚え、村を回ってみることに。遺跡のすぐ近くの通りにはお祭りの出店がすき間なく並び、その外れではトランポリンではしゃぐ子供たち。畑には演劇用の仮小屋があり、さらに進むと、ひときわ目立つお祭りの山車が停めてある。村中がお祭り気分だ。

山車に近づいてみると、車輪はなんと石製。それを見て、ウキウキした気分になりながら村をめぐると、家々の玄関口には、

パッタダカルで見かけた寺院の補修状況。彫刻の形が微妙に異なる。手で成形した後、サンドブラストで仕上げたものか、生気が全く感じられない（パッタダカル）

パッタダカル。南方型サンガメーシュワラ寺院

神様に捧げる砂絵が丁寧に描かれている。村はずれには、日本の鎮守神のように小さなリンガ（男根像）がきれいに掃除され、花飾りを供えて祀ってある。

筆者が一九六〇年頃に住んでいた宮城県の田舎の様子を思い出し、郷愁がこみ上げてくるとともに、今も変わらないインドの姿を垣間見たような気がして、とてもうれしくなった。

参考文献

・古代インド建築史紀行　小寺武久著　彰国社
・ヒンドゥー教の建築　J．ミッシェル著／神谷武夫訳　鹿島出版会

バッタダカルの村々を回る動く寺院。人々は停めてある山車にも祈りを捧げていた

寺院の中に鎮座する聖牛ナンディ像に祈りをささげる人々。像は黒御影石製で磨かれていた（パッタダカル）

川遊びに興じる子供たち。カメラを向けると手を振って応えてくれた（パッタダカル）

八、 チェンナイ・マハーバリプラム

朝、バーダーミからタクシーでフブリ空港に向かい、空路でチェンナイに移動。チェンナイ空港から郊外電車でホテル最寄りの駅に到着。その足で、翌朝バスで目的地のマハーバリプラムに移動するために、バスステーションを下見する。バス停のレーンがいくつもあり、そこから各方面へ出発するバス乗り場が果てしなく連なっている。まるで、インド中のバスがここに集合するくらいの広大なバスステーション。何人かのバス関係者らしき人に尋ねて、ようやくマハーバリプラム行きのバス乗り場を確認。夕刻、近くの宿にチェックインした。

チェンナイはインド四大都市の一つで、ベンガル湾を望む人口四七〇万人を擁する南インド最大の街だ。イスラム教の影響を受けていないインド独自の文化圏、ドラヴィダ文化社会でタミル・ナードゥ州の州都である。文字も人種もこれまで訪問したインドとは明らかに違い、人々の膚色が濃く、丸顔で、話す言葉も丸っこい。インドの多様性を肌で感じる大都会である。

クリシュナのバターボール。クリシュナ神の好物、バターボールに形が似ていることが名の由来

ここからバスに乗り八〇分くらいのところにベンガル湾に面した遺跡群、マハーバリプラムがある。翌日は午前中に到着し、宿に荷物を置いてから早速、遺跡群を見学することに。

■花崗岩丘陵地帯

ここは花崗岩の丘が広がり、六～八世紀に大きな玉石や地上に露出した岩体を掘りぬいた、十窟以上のヒンドゥー教石窟寺院と様々な石造物が造られている。北ゲートから入り、後世に使用されたと思われる削岩機のロット穴をいくつか確認し、一つ石からくりぬきだしたトリムールティ石窟やゴービーの攪乳器を見ながら歩いて行く。

やがて「クリシュナのバターボール」と呼ばれる巨大な自然石が目に入る。昔、象に曳かせて動かそうとし

連続したクサビ穴痕。矢の効き具合を確かにするために仕掛けの部分をえぐっている

幅 9.6m の未完成コネリ石窟。壁には荒々しいノミ痕。天井には格子状整形の掘り跡が

開窟していく過程がよくわかるコネリ石窟近くの未完成窟

マヒシャマルディニー石窟付近の未完成窟

手前に格子状の彫りかけ跡が残るアルジュナの苦行

完成度が高いヴァラハ石窟には彩色跡が残る

たが、びくともしなかったという不思議な岩である。ここまで移動しながら、たくさんのクサビ穴痕を見つけることができる。連続したクサビ穴を開け、岩盤から大きく石を外し、玉石を割る際にクサビを多用した形跡である。硬い花崗岩を加工するには、これまで見てきたようなつるはしでは歯が立たない。たくさんのクサビ穴痕を見つけ、石屋として当時の石割技術に納得する。

いくつかの石窟を巡り、石窟内部の祠堂にシヴァ・リンガを祀ったマヒシャマルディニー石窟を観る。その近くには玉石の未完成窟があり、花崗岩を掘りぬいていくプロセスが分かり興味深い。掘る面を縦横三〇センチ、深さ一〇～一五センチ位の格子状に整形して、そのブロックを手掛かりに掘り進んでいく。これは掘ろうとする面が歪まないようにアタリをつけることと、ブロック状にして外しやすくしたものと推測する。

ここのエリアには未完成窟が多く残り、どこの未完成窟にも同様の格子状整形の跡があった。いくつもの未完成窟の様子を観察し、あちらこちらに残るクサビ穴痕を追いかけているうちにあっという間に時間が経過。ベンガル湾の夕日を見るために少し早めに退場した。

■ファイブ・ラタ寺院

翌日早朝、ベンガル湾の朝日を拝むため、海岸に出向くと、何人もの人たちが朝日を待ち望んでいた。そこから一キロほど南に進んでいくと、巨大な花崗岩の玉石を掘りぬいて造られた石窟寺院、ファイブ（パンチャ）・ラタがある。ラタとは「山車」を意味する。

古代から伝わる物語、「マハーバーラタ」に登場

クサビを多用して成形していった跡が残る

夕日に輝く石積み建築、マハーバリプラム海岸寺院

ベンガル湾サンライズ

する五人の王子の名前が付けられたそれぞれの石窟寺院は、上から下に向かって掘り進んでいくため、見事な装飾が施された屋根などは完成度が高いが、下部に行くにつれて大雑把なところが見受けられ、部分的に未完成なところもあった。最大のものは南北一三・六メートル、東西七・六メートル、高さ八メートルのビーマ・ラタ。わら葺きの屋根は南インド農家の住居に起源をもつとされる。ここの石造物は、ヒンドゥー寺院の様式が完成する以前の仏教寺院や木造民家などのたたずまいを今に伝えているという。

■今も残る石工の町

この町には多くの石屋が店を構えていた。通りに面して様々な彫刻品が並べてあり、店先や店の奥では石工たちが実際に石加工の作業をしている。大型切断機などの設備がある工場は郊外にあって、

公立マハーバリプラム建築・彫刻専門学校

ファイブ（パンチャ）・ラタ。手前が最も高い10.6mのダルマージャ・ラタ。次がビーマ・ラタ

通りには多くの石屋が並んでいる

チェンナイのお祭り。楽団を先頭に、ベンガル湾で清められた神輿とともに町に繰り出す

大きな加工はそこで作業するのであろう。

ここには公営の石工学校があり、一昔前の日本の石材産地のような様相を呈していた。資料によるとヒンドゥー彫刻のプロポーションは古代に記された彫刻技術書に基づいて造られているという。頭部、首、胴体、足の比率とバランスが定められていて、そこから細部に彫り進んでいく。

ヒンドゥー教では一定の数字に基づく比率が重要視され、それに従った様式で完成させることによって神々の力が作用するとされる。その力が最大限に発揮されるように職人たちにはより完成度の高い仕事が要求された。インドでは個人的な作品性が求められるのではなく、いかに技術書に忠実につくるかが重要なのだ。だからどんなに素晴らしい作品であっても作者のサインは無い。

こうした石工職人は古くからギルド的な組織をつくり、世襲でその伝統技術を後世に伝え、現在に至っている。石窟寺院が盛んにつくられた時代には集団で各地に赴き、石工親方の統率のもと家族集団生活をしながら制作にあたったという。

マハーバリプラムには今でもこのような石工職人が多く暮らしている。

参考文献

・南インド004　マハーバリプラム　まちごとパブリッシング

店先で作業する石工たち。使っている電動工具は今の日本とさほど変わらない

九、ガヤー

チェンナイから空路デリー経由で、お昼にはガヤーの小さな空港に到着。ガヤーはビハール州・州都のパトナから南に約九〇キロにある人口五〇万人の都市である。パトナは紀元前五世紀にマガダ国の首都として栄え、紀元前三世紀には仏教公告のためにインド各地に石柱を建てたアショーカ王の都でもあった。

マガダ国が栄えた理由として、ここはベンガル湾に通じるガンジス川の流域で、インド各地から運ばれてくる物資の集積地であり、チベットに抜ける交通の要所であったほか、南のガヤー周辺の背後地から豊富な鉄鉱石が採れたことが挙げられる。その様子は「この地帯には採掘をすることなしに岩から剥ぎ取ることができる分厚い酸化鉄の露出層があり、それを木炭の火で精錬して様々な道具に加工した。銅の埋蔵も豊富であった。マガダ国はこれらの金属を組織的に使って土地を切り開き、耕して国を豊かにした。また、強力な武器をもって他国を凌駕していった」とインドの歴史家コーサンビーが記し、その結果、「古代的な発展を頂点とする統一国家がここを中心として誕生した」と結論付けている。

ガヤーに到着し、早速宿近くの現地旅行会社を訪ね、翌日にナーガルジュナの丘とバラーバルの丘にある石窟に行くためのタクシーを予約する。

ナーガルジュナの丘に向かう途中の神がかりな石

ナーガルジュナの丘の手前で道路が陥没。ここから徒歩で向かう

ナーガルジュナ石窟。中央下に見える穴が石窟入り口

■ナーガルジュナ石窟

翌日朝、チャーターしたタクシーでガヤーから北に約二五キロのナーガルジュナの丘に向かう。幹線道路から丘に向かう道路に入ると、間もなく遠くにギザギザに風化した花崗岩の小高い丘が見えてきた。近づくに従って激しく風化した花崗岩の連なりがはっきり確認でき、中には石の重なりが神がかり的なものも見られる。

面白がって見ているうちにナーガルジュナの丘が見えてくる。間もなくというところで道路が陥没していて、そこからは徒歩。長く連なる巨大な玉石状の花崗岩にポツンと石窟入り口の穴があり、その穴の壁には何やら文字が刻まれている。資料によるとアショーカ王の孫ダシャラタ王によりアージーヴィカ教（古代インドの宗教）の教徒が雨季に滞在するために開窟したという。仏教を保護したアショーカ王は、他宗教にも理解を示していたということであろうか。

中は単純なかまぼこ状の洞窟であるが、きれいに研磨までされており、花崗岩をこれまでに仕上げるエネルギーの源がどれほどのものであったのか興味を覚えるとともに、当時の石工技術の高さに驚く。中に一歩入ると、踏み込んだ途端に自分の足音が石窟内の隅々まで響き渡り、瞬時に異様な空間となっていることを感じる。

言葉を発すると、自分の声の残響音が脳内の奥の方まで響き渡るような感覚となり、しばし呆然。今まで経験したことのない、それこそ石の胎内といったらよいのか、神様である石の中に閉じ込められたような不思議な空間である。常日頃はあまり宗教に熱心でない筆者でもここで思わず瞑想をしたくなったが、タクシーのチャーター時間が限られており、後ろ髪をひかれる思いでここを後にした。

■バラーバル石窟

ナーガルジュナの丘から二キロほど南側

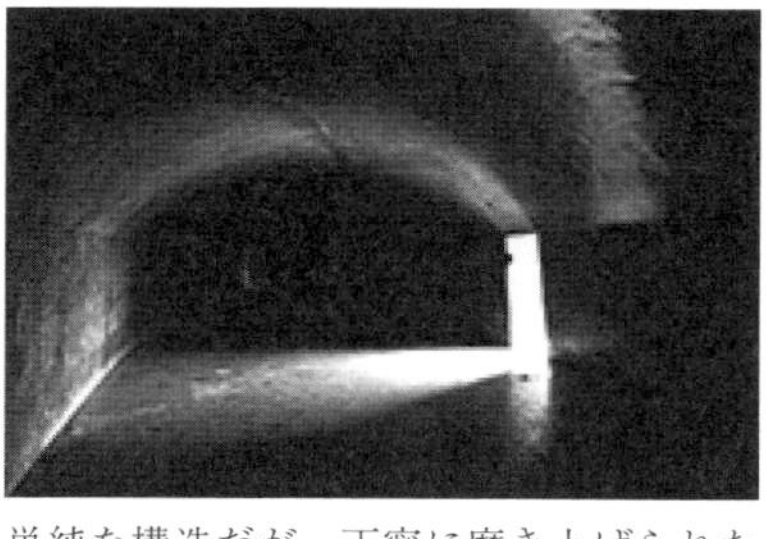

単純な構造だが、丁寧に磨き上げられたナーガルジュナ石窟の内部空間

巨大な花崗岩層に開けられたナーガルジュナ石窟の入り口

磨き上げられたナルナ・チョーバール石窟の内部空間

バラーバルの丘、ナルナ・チョーバール石窟の入り口に彫られたアショーカ王の銘

にバラーバル石窟がある。ここには四窟あるというが三窟しか確認できなかった。小さな売店のある入り口から階段を上がると間もなく、ここも巨大な花崗岩層が横たわっていて、中ほどにナルナ・チョーバール窟の入り口が確認できる。ガイドの説明によると入り口の壁の文字はアショーカ王の刻文で、バラーバル丘の石窟はアショーカ王の時代に開窟されたものという。中は丁寧に磨かれており、やはり反響音は神がかり的である。

そこから回り込んで岩の背面にスダーマ窟がある。ここにも入り口に刻文がある。中の構造はかまぼこ型の部屋の奥が丸い壁に仕切られて、もう一つ部屋がある。この部屋も反響音がものすごく、しかも真っ暗な空間になっているので、石の中に閉じ込められた感じがなおさら強く、真っ暗闇の石の迷宮にいるような感覚になる。

スダーマ窟の先に開窟されているのが

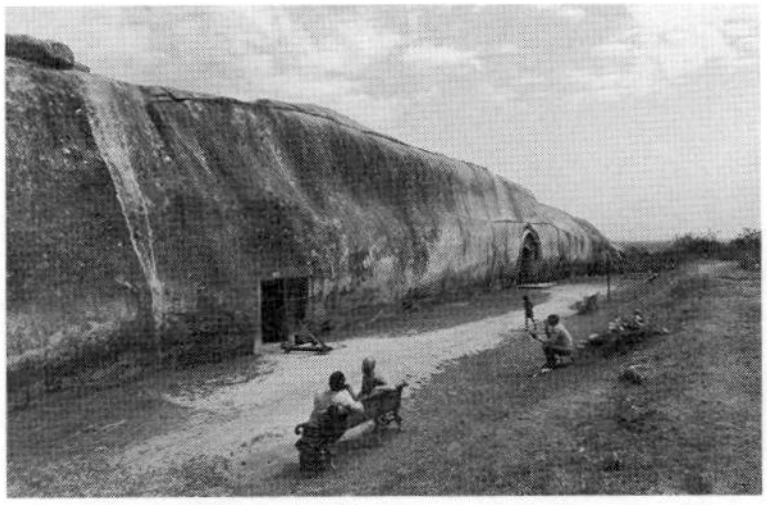

スダーマ石窟（手前）では、フランス学術調査隊が調査をしていた。奥がローマス・リシ石窟

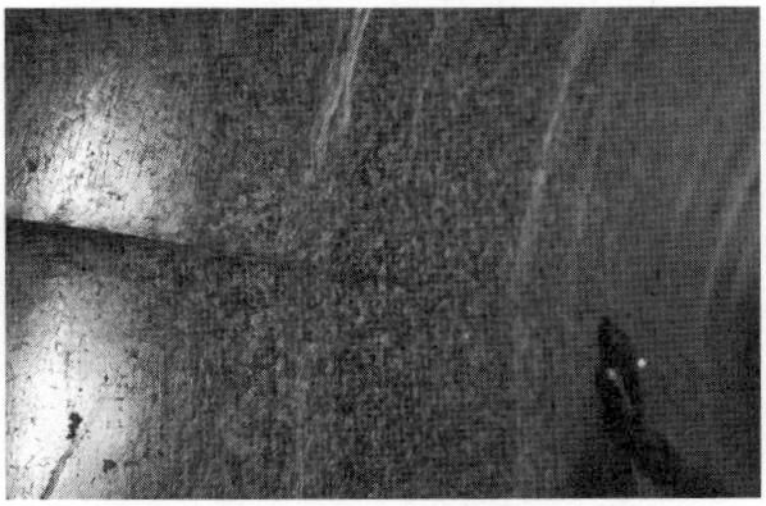

砥石の跡がかすかに感じられる（ナルナ・チョーバール石窟）

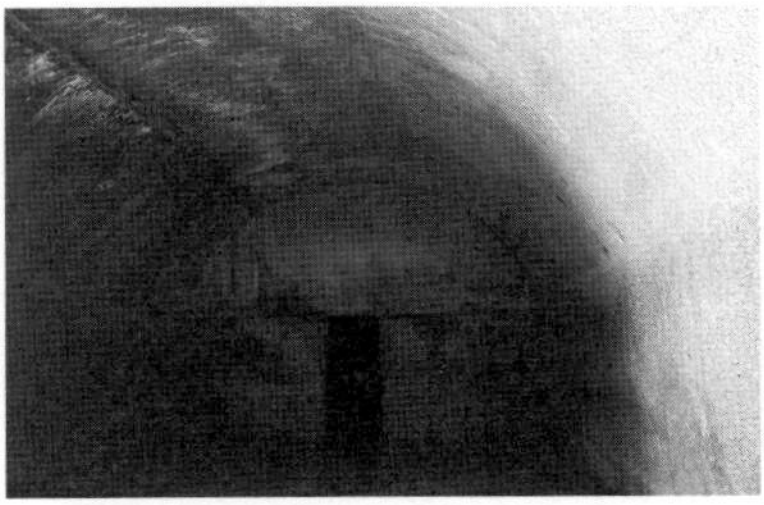

奥に円形の部屋があるスダーマ石窟の内部空間

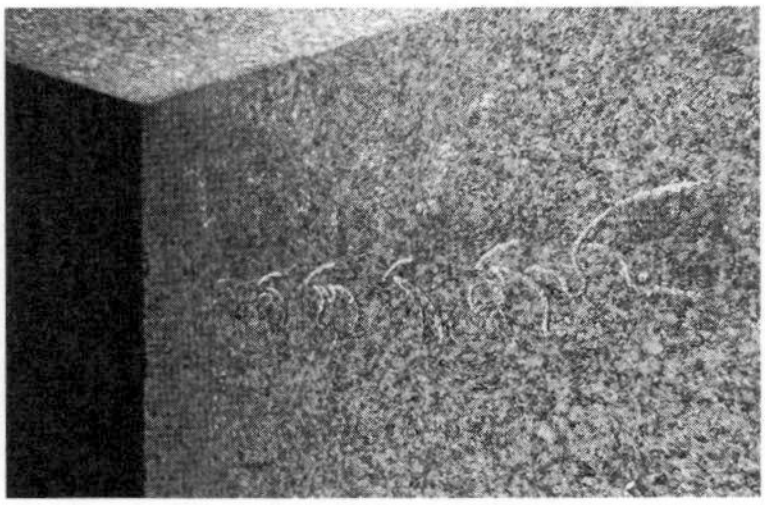

ナーガルジュナ石窟の入り口に彫られたアショーカ王の刻文

ローマス・リシ窟。ここの入り口には後の石窟寺院に影響を与えたとされる装飾が彫刻されている。中は未完成となっており、荒々しいノミ跡がそのままの状態で残っている。

資料によると、この地域にあるこれらの石窟はいずれも紀元前三世紀頃の造営で、インドにあるおびただしい石窟寺院の先駆けとなったものであるとのこと。なぜ突然にこのような石窟がインドで造られるようになったのか疑問を感じたのだが、帰国後、いろいろと調べている中で、インド建築に詳しい建築家・神谷武夫氏が以下の通り、回答を与えてくれた。「インドの最初の石窟は紀元前三世紀なかばに、アショーカ王が造営したバラーバル丘とナーガルジュナ丘の石窟群であるが、一方、トルコのリュキアで石窟墓や石棺が多く造られたのはその一世紀前、紀元前四世紀のことである。リュキアの石窟や石棺には尖頭アーチ形のものがあり、しかもそれが木造であるかのように彫刻されている。紀元前四世紀の後半にはマケドニアのアレ

ローマ様式の彫刻があるローマス・リシ石窟の入り口。後付けで彫られたという説もある

クサンドロス大王の東征があった。インドの大部分を初めて統一したマウリヤ帝国は、それにふさわしいモニュメントを必要としていただろう。アレクサンドロス大王によって滅ぼされたペルシア帝国の工匠たちは新しい職場を求めて来印し、アショーカ王に雇われて西方の石窟技術をインドにもたらした。内部の壁や天井が磨かれているのも、それまでのインドにはなかったペルシアの技術である」（以上、原文のまま）とのこと。

文明の流れは古代ローマ・ギリシャからペルシアを経由して、インドに及んでいたことを確認し、遥かな古の出来事に想いを馳せた。

参考文献

・インド古代史　コンサービー著　岩波書店
・リュキア建築紀行　神谷武夫　http://www.kamit.jp/07_lycia/likia.htm

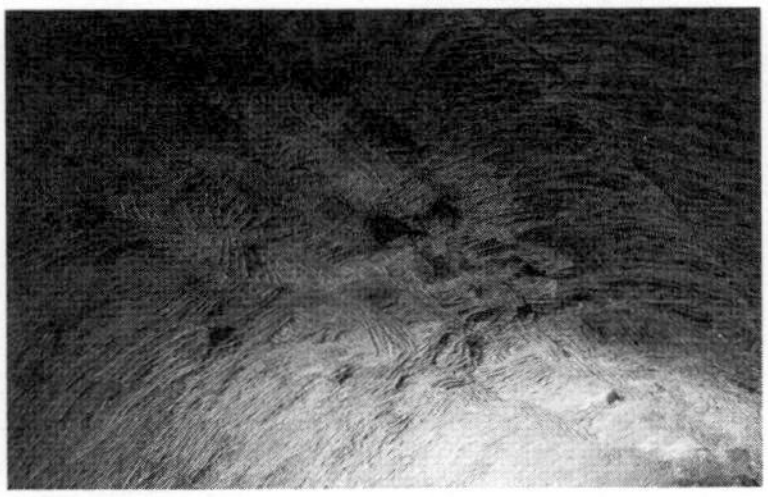

ローマス・リシ石窟天井部のノミ痕。案内人は涅槃像というが、仏像が崇拝されるようになるのは数世紀後のこと

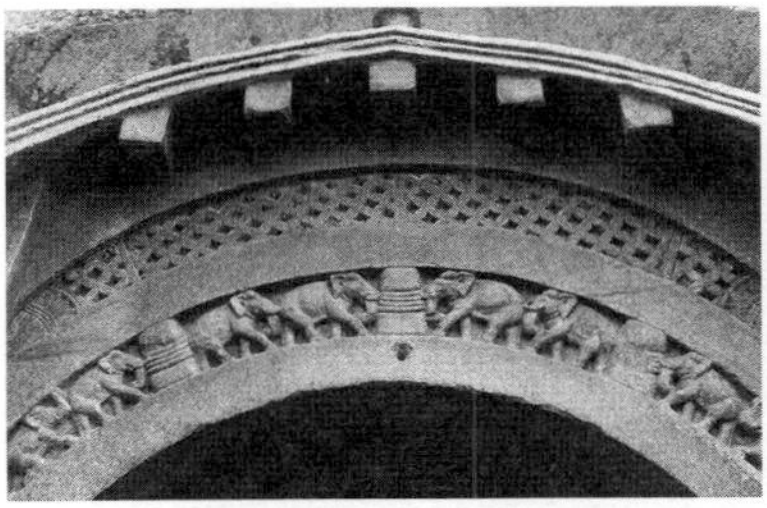

ローマス・リシ石窟の入り口に彫られた刻文

十、ブッダ・ガヤー

ガヤー市街から南へ十六キロほどリクシャーで移動。今回の最終目的地、菩提樹の下で瞑想を続けたブッダがついに悟りを得たところ。仏教徒にとっては最高の聖地であるブッダ・ガヤー（またはボードガヤーともいう）に到着。交通規制があり、リクシャーは街中まで入れず、徒歩で日本語が通じる宿に向かう。途中、乾季のインドには珍しく雨が降ってくる。

この頃（二〇二〇年三月中旬）になると、さすがに新型コロナの影響が心配になり、帰国のことが気になってくる。宿に着いて、インドからの出国情報を確認すると、日本への直行便はすでに飛んでいないとのことで、部屋で乗り継ぎ便の確認に時間を費やす。

■ブッダ・ガヤー周遊

翌日、宿の人のオートバイでスジャータ村に。スジャータが住んでいたという場所に建てられた大きなストゥーパやスジャータ寺院を回る。途中で雨が激しくなり、ブッ

紀元前3世紀の建造を起源とする高さ55mのマハーボーディ寺院全景

マハーボーディ寺院入り口の花売り。カースト制のもと、花売り職業も世襲制とのこと

8世紀頃建造のマハーボーディ寺院のトーラナ（門）

マハーボーディ寺院本殿内部の様子

ダが六年に及ぶ厳しい苦行をおこなったという前正覚山の訪問は断念する。ブッダがこもっていたとされる岩山の小さな洞窟がどんなものだったのか大いに興味はあったが、確認ができず残念。足早に部屋に戻り、帰国を一日早めて帰国便を予約する。

■マハーボーディ寺院

ブッダ・ガヤー二日目、宿でアルバイトをしている若い日本人の案内で、ブッダが悟りを開いた地に建つ巨大な寺院、マハーボーディ寺院を見学。多くの仏教徒がここを目指して世界の各地からやってくる。この寺院の周りには各国で建てた仏教寺院も多数あり、雨にもかかわらず、各国の

ブッダが座した場所の脇に座る僧侶（マハーボーディ寺院）

ブッダが座した場所に祈りを捧げる僧侶（マハーボーディ寺院）

僧や信者で賑わっている。

トーヤラ（門）を通過して本殿に入ると、中には黄金の仏像が安置され、参拝する人たちがそれぞれの姿でお参りをしている。

寺院の裏手に回ると、本殿の真後ろに当たるところにブッダが座した石の台、金剛座が置かれ、その上に大きな菩提樹が枝を広げていた。今もブッダが座しているかのように、金剛座の前で深い礼拝を捧げる僧や巡礼者を目撃し、時を超えた信仰の力に触れたような気がした。

各国の僧院や寺院は回らなかったが、時より雨が激しく降るなか、仏教徒最大の聖なる場所に身を置き、さらに真摯に参拝する多くの巡礼者を目のあたりにして、大いに心が満たされる。

ブッダ・ガヤーを最終目的地として、インドの大地に築かれた各地の遺跡を巡る旅はようやく終わる。帰国日の早朝、近くで何かが爆発したようなものすごい音とともに激しい稲光で目を覚ます。近くで落雷があり死者も出たとのこと。

すでに直行便はなく、結局クアラルンプール経由で帰国したが、一週間後にはインドからの国際便は全て飛ばなくなっていた。ギリギリのタイミングで無事に帰国できた今回のインド一人旅、最後まで刺激的であった。

■インド・祈りのかたち

インドの旅で今回も様々な祈りのかたち（姿）を目撃した。宗教的なことはわからないまま、特に印象に残った場面を出会った順に紹介しておきたい。

最初はギルナール山。ここはヒンドゥー教とジャイナ教の聖地であるが、一〇〇〇メートル級の山頂に建っている寺院を目指して、まるで日本の初詣のような混雑の中を登っていく。その山頂近くに一人の行者が座っていた。インドには様々な行者がいるとは聞いていたが、実際にその場で見るのは初めて。何人かの参拝者と穏やかに話をしていたのが印象的だった。

次はプネーの街中で見かけた小さな神様石。自然石全体が朱色に塗られ、道端に祀られていた。帰国後調べてみると、この石の神様は村神として古代から祀られており、赤い色は血の代わりである。血の犠牲は様々な神々に捧げられ儀式が行われた名残で、村落が農業を通じて豊かになり、バラモン教が入ってくると猿神ハマヌーンや象神ガネーシャなど特定の神に対する祭祀となる。それらはやがて彫像によってあらわされるが、それ以前のインド古代から続く原初的な神々の姿なのだそうだ。

その次はバッタダカル。村祭りの様子を見たくて村を歩いていると、道の中ほどに小さな石がちょこんと出ている。地元の石とは明らかに質が違っていて、この地の寺院で祀られていたリンガに用いられている黒緑色の石だ。気になったので、近く

巡礼の人々で混雑するギルナール山参道

ギルナール山頂付近で見かけた行者

バッタダカル村の道中にあった小さな聖なる石。頭の部分だけが出ている様子

バッタダカルの村はずれで見かけたヒンドゥー教のリンガ。黒石で作られている

マハーバリプラムのお祭りで見かけた神輿

プネーの街中で見かけた神様石。インド人に聞いたが人によって説明が違った

に座って商いをしているおじさんに尋ねてみると、静かに手を合わせ、祈りの石として大事にしていることを教えてくれた。たぶん、当初は道端にあったものが、道を拡張する際に「勝手に動かしてはならない」ということで、こんな状態で祀られるようになったのだろうと想像した。インド人は何でも激しく、巨大なものを好む人種と思っていたが、案外優しい心持ちなのかもしれないと感じた次第である。

　最後はマハーバリプラム。ここを訪れた時もインドのホーリーデイの週に当たり、祭りの様子を見ることができた。神輿には僧と思しき人が鎮座し、楽団や多くの世話人を引き連れて、村人に祝福を与えながら練り歩いている。その神輿に対してきちんと手を合わせて崇拝している姿が新鮮であった。

　夕方になりベンガル湾の夕暮れを見に

マハーバリプラムでベンガル湾の満月に祈りを捧げる婦人

海辺に行くと、丁度、水平線から満月が上がっていて、それに向かって二人のおばあさんが手を合わせて何かを祈っていた。聞くところによると、ヒンドゥー教は月の満ち欠けと密接な関係があり、特に満月は大事な日であるとのこと。こんなところにもインドの風習が残っていて、ひとり感激した。

インドは様々な民族や言葉、風習が混じり合う多様な国といわれるが、様々な祈りのかたちに接し、その原点を垣間見たような気がして、インドがますます好きになっている筆者であった。

十一、　石窟の国・インド

大蔵山（伊達冠石）採石場を営んできた者として、同じ大地を掘るというネガティブな行為を、人々の祈りの場としてポジティブな建築空間に変容させていった階段井戸や石窟寺院に興味を持ち、インド各地を回ったが、実際、石窟寺院だけでも一二〇〇窟はあるというインド・デカン高原の大地に立ってじっくりと眺めていると、「人間の営みとは一体、何だろう」と気が遠くなるような思いに駆られてくる。それと同時に、なぜインドにこれほどの数と規模の石窟が存在するのか、疑問を持った。

■古代ペルシアの影響

インド石窟は、古代ペルシアに由来があると前に記した。紀元前五～四世紀の前マウリア朝時代には、ペルシアから硬い石材を割ったり磨いたりする技術や、ガラス生成の技術など、後世のそれを凌駕するほどの優れた技術が伝わっていたことが分かっている。

例えば、アショカ王の一二メートルの獅子柱頭（四頭

ナーガルジュナの丘に向かう道筋で見た、激しく風化した花崗岩の山

デカン高原を流れるワゴーラー渓谷の断崖に刻まれたアジャンター石窟寺院群

ガヤーからブッダガヤーに行く途中で見られるデカン高原

のインドライオンが背中合わせに並ぶ石造）がインド各地に建てられているが、獅子像はペルシア王の象徴でもあり、アショカ王時代のマウリア朝は当時、ペルシア・セレウコス家とも密接な関係があって、西アジアの強い影響を受けているといわれている。

それにしても、アショカ王から続く仏教式の石窟寺院や、その後のヒンドゥー教の石窟寺院の造営に注がれたエネルギーは何に起因するものなのか、強い好奇心が湧いてくる。

■石窟寺院造営の理由

武澤秀一著『空間の生と死――アジャンターとエローラ』の中で、著者はインド各地に石窟寺院が造られた理由として、建築学第一巻「東洋建築史」から①地上の建築よりも強固で半永久的であること、②窟のほうが涼しく静かであって、宗教生活に適していること、③雨季にあっても雨が漏らないこと、④造るのに適した岩山が多かったこと、の四点を引用している。

また、当時の技術的な条件のもとでは、材料となる石を切り出し、それを建設地まで運搬し、さらに精確に積み上げていくという作業の方が、直接岩山を削り出していく作業よりも、労力と技術を要することだったと、とするインド人学者の説も紹介。さらに武澤氏の見解として、当時の造営者たちが求めていた規模の空間を、石を用いて構築していく技術がそもそもなかったということに言及している。

インド哲学者の中村元氏は、「インド人の思考の一般的性向として恒久性の思考があり、造るものに耐久性を求めること。インド人の言語が否定的な表現の方が肯定よりも強い表現力を持つこと」があるというインド人独特の思考法に基づいた発想そのものに起因すると指摘していることも取り上げ、「岩山をくり抜いていくというマイナスしてポジティブな建築空間を獲得していく石窟の方法がインド人の思考法によく通じていて、インド人の気質に合っているというのではないか」と結論付けている。

■石窟寺院を回ってみて

実際、筆者がいくつかの石窟寺院を回って感じたことは、石窟の内部はどれも真っ暗か薄暗く、ひんやりとしていて静寂であること。さらに花崗岩の岩体にくりぬかれたバラーバルやナーガールジュナの丘では反響音

ペルシャ様式の獅子像を掲げるカールラー石窟寺院（１世紀）

仏教式チャイティア窟として最大の規模のカールラー石窟寺院

は脳内の奥まで届き、意識が覚醒するような体験をした。まさに石窟は宗教的にふさわしい空間であると強く感じた次第。

様々な民族が住むインド最初の統一国家として、仏教の教えを組み込んで全土を統制しようとしたマウリア朝が、その空間的特性を活かして、さらに仏教的な意味づけを持つ装飾をちりばめた石窟寺院を積極的に造営していった理由が理解できるような気がした。また、強雨で行きそびれてしまったが、ブッダが修行したのが広さ六畳ほどの真っ暗な前正覚山の洞窟であったことも、仏教石窟寺院が盛んに開窟されたことに通じているのではないかと推察している。

古来、洞窟はアジア各地で信仰の対象とされ、インドにおいても聖なる場所、霊性が宿る場所として考えられてきた。地下に向かって掘削された階段井戸や、大地に対して水平に開窟された石窟寺院はまさに洞窟空間であり、すなわち人工的につくり出した聖なる空間である。

その造営においては組織力や経済力、技術力、さらには政治的な安定性が求められる。西方からの様々な

宮殿のような大規模な内部空間のアジャンター第１窟。壁画の保存状態が良い

民族の侵攻に激しくさらされてきたインドの地にあって、石窟寺院を造営するということは、国としてのアイデンティティを示す意味があり、宗教を通しての団結心、さらには国家的なまとまりを醸成するための必然だったのかもしれない。

■人々に想像力を生み出す石窟寺院

紀元前三世紀ごろから開窟され、八世紀頃までに千年以上にわたってインドの大地に造営された石窟寺院は、現在も強烈な存在感を放っている。大地に直接刻むことによって得られた建築空間は、人間の営みの凄まじさを永遠に遺すことになるだろう。また、特異で巧みな空間構

広々とした三層構造の内部空間を持つエローラ第12窟

アジャンター第17窟。石窟内はどこもが薄暗く静謐さが漂う

反響音が脳内にこだますするバラーバル丘、ナルナ・チョーバール石窟の内部

時代を経るにしたがって壮麗さを増すストゥーパ。アジャンター第19窟

成や、見事な彫刻や絵画によってあらわされた宗教的な概念は、人間の思考や叡智を証明するものとして、これからも輝き続けることであろう。

人類の見果てぬ夢を追い求めて完成した石窟寺院。これからも人々に様々な想像力を与えてくれる存在となるに違いない。

参考文献

・インド人の思惟方法　中村元選集第一巻　春秋社
・www.sol.dti.ne.jp/~shiraka/zensyogaku.htm　前正覚山・留影窟　インド仏跡フォトギャラリー

彫刻の意匠や技術が見事なアジャンター第19窟の列柱の装飾

壁画や天井画が見事なアジャンター第2窟

ギルナール山の参道にある小さな洞窟にも石神様が祀られていた

ダム湖ほとりの断崖に開窟されたバーダーミ石窟寺院と天然の洞窟

十二、　石窟技術を視る

■マガダ国の製鉄技術

インドの歴史書を見ると、「紀元前二千年頃から西アジアのヒッタイト（現トルコのアジア地域で暮らしていたアナトリア人）から鉄器の知識を受け取ったアーリア人が西インドから侵攻し、ガンジス川流域へと定住していったという。鉄器の利用によって農耕や軍事の面で優位性を発揮し、さらに豊富で良質の鉄鉱石産地を勢力下においてガンジス文明へと発展していった」とある。

紀元前六世紀ごろに興ったマガダ国の首都ラージギル（王舎城）の近くには良質で分厚い鉄鉱石の層が露出

デリー郊外、クトゥップ・ミナールに建つチャンドラヴァルマンの鉄柱

インド最初の石窟、ハラーバル丘のローマス・リシ窟に残された当時のノミ痕

ハンマー

バーダーミ博物館に展示されていた当時のノミ

バーダーミ石窟寺院で見たクサビ穴跡

クサビ（矢）

している地帯があり、それを資源として鉱業が栄え、インドで最初の統一国家が出現した。ブッダの時代にはすでに千五百年もの長きにわたる製鉄の技術が集約されており、現代の技術を凌駕した製鉄技術があったとされる。今でも謎とされるデリー郊外・クトゥプ・ミナールに建つ千五百年前に建てられた錆びない鉄柱はそれを裏付けるような存在である。

　インド石窟は紀元前三世紀半ば頃、ガヤー郊外に開窟されたバラーバル石窟を始まりとする。今回のインド訪問で巨大な花崗岩の岩体に開窟された石窟を巡って、どのような道具を用いて掘り進んでいったのか、非常に興味を覚えたが、当時すでに高度に発達した製鉄技術があり、岩質に合わせた最適な道具を使用していたと想像している。

■専門化した石工集団

インド社会では職業は細分化され、カースト制によって世襲で受け継がれている。実際に石窟寺院を造営する際の様子がJ・ミッチェル著『ヒンドゥ教の建築』に記されているが、要約すると次のようになる。「最も重要なのが全体の設計にかかわる建築家で、同様に現場を統率する工事監督長の存在である。次いで石工頭と建物と彫刻の細部を取りまとめる主任彫刻家。そのもとで実際の職人が作業に従事している。この組織に関わる職人集団は家族的な集団をなしていて、事故や病気で欠員が出た時は誰かが代わりを務められる家族関係が築かれていた。女性や年いった子供たちも軽い補助的な仕事に従事した。また、寺院建設においては学問のある僧侶が宗教美術的な助言や指針を与え、様々な儀式・儀礼を執り行った。どの職種にも腕のある職人がいて、石窟を切り開いていく石

すべてが手作業だった1980年頃のインド採石場風景

工・建築的な形態に仕上げる工匠・細部の彫刻を担当する彫刻家などがいた。そのほかに専門工として、建物の軸線を設定・彫刻の水平と垂直線の墨だし・工具の制作・工具の修理・絵画顔料の調合などといった仕事に従事する者がいて、それぞれの親方によって取りまとめられ、彼らの伝統や知識と技術は口伝によって保たれていた」

インドの石窟寺院造営の技術や知識は、こうしたギルド化したそれぞれの専門集団として世代から世代へと受け継がれ、各地の石窟寺院建設に従事する際は集団で移動して作業に従事したのである。

■石窟寺院の開窟技術

筆者が最初にインドを訪れたのが四十五年ほど前。当時の採石場はほとんど人力で作業が行われていた。岩盤から石を切り離す作業は連続するクサビ穴をあけ、小さな鉄のクサビを打ちこむ。石を外す際には何人かで梃子を使用。四

エローラ第16窟のカイラサナータ寺院での道具痕。つるはしのようなものか

アジャンタで見かけた石工作業

エローラ第16窟。岩体に残された格子状整形

アジャンタ第24窟。内部に残された格子状整形跡

マハーバリプラム、パンチャバーンダヴァ石窟内部。格子状ブロックが外された部分は平らな面がつくられている

マハーバリプラム未完成窟。花崗岩に刻まれた格子状整形跡

角にする整形作業は二人で行う。一人が、当社で「アタマタタキ」と呼んでいる大ぶりのコヤスケのような道具を割り落とすラインに合わせて置き、それをもう一人が大ハンマーで割り落とす作業であった。

石の移動も全て人力で、採石場内もトラックに積み込む際も数人がかりで梃子を使っての移動。残石は子供たちが数人がかりで、素手で転がして片付けていて、残土や小石は何人もの女性たちが連なって竹籠を頭に載せ運んでいた。

石窟寺院の造営もすべて手作業であり、当時もあまり変わらない作業ぶりだろうと想像する。一口に石窟寺院といっても、バーダーミのような比較的軟らかい砂岩質のものから、アジャンタ・エローラの玄武岩質やバラーバルやマハーバリプラムの花崗岩質といった相当に硬い岩質に造られたものまで様々である。各地の石

益田岩船（奈良県橿原市）

窟の道具痕からノミやつるはしが使われていたことは間違いないが、玄武岩質や花崗岩に打ち付けられた荒々しい道具痕から推察すると、硬い岩盤に対しては一人がつるはしのようなものを持ち、もう一人が大ハンマーで打ちこむような、二人掛かりの作業であったとも考えられる。

■飛鳥石造物との関連性

各地の石窟に残された道具痕や途中で作業が中止された未完成窟から、造営の様子はある程度、推定することができる。アジャンタ・エローラのような硬い玄武岩質では岩体に深く溝を掘って格子状の塊にして、それを外しながら掘り進んでいったのであろう。花崗岩質の岩体であるマハーバリプラムでは一五センチ程度の浅い溝を掘り、やはり格子状の塊にしてから外していった跡が残っている。この方法だと格子状に大きく外せるのと、面のアタリを確認しながら作業ができるので、ほぼ平らな面をつくることができる。

この方法で整形したような石造物が、実は日本の古代石造物にもある。奈良県橿原市にある「益田の岩船」だ。側面に残された整形跡がマハーバリプラムの未完成窟に残された跡と同じなのだ。面のアタリをつけながらブロックごとに外していったという技術的な面から考えると、共通の意識がうかがえる。

古代インドはペルシアの影響を強く受けながら歴史を刻んできた。そのインドと共通する加工痕がある石造物の存在は、もしかしたらインド経由のシルクロードの流れからも検証できるかもしれない、と想像を膨らませている。

側面に刻まれた格子状整形跡

一部は格子状ブロックが外されて面がつくられている

飛鳥編

飛鳥には益田の岩船や亀石、酒船石など不思議な石造物が点在する。二〇〇〇年には新たに亀形石造物が発掘され考古学的な話題となった。それ以外にも寺院の礎石や古墳の石室など、飛鳥時代以前にはない技術で加工したものが多くみられる。インド編でも指摘したが、それらを再確認することによって、古代エジプトから飛鳥につながる石材加工技術が見えてくるのではないかと思い、改めて訪ねてみた。

一、古代飛鳥の石造物

古代オリエントでは、石は建築土木や彫刻用材として盛んに用いられ、石材の加工において高度に発達した技術があったが、古代日本では石の加工技術は未発達であり、古墳などに自然石の大きな石を使ったりはしたが、本格的な石の建築物や石造品を作ったりはしていなかった。ところが、六世紀末の飛鳥時代になると飛鳥寺の造営を契機として、百済からの文化流入と

側面に格子状整形加工跡が残る益田の岩船

上面の溝にもかすかに格子状整形加工跡が見られる（益田の岩船）

平らに仕上げられた面にも格子状整形加工跡がかすかに確認される（益田の岩船）

ともに様々な技術が伝来し、石材加工においても百済の技術が導入され、これまでにない石の造形が可能となった。

■**益田の岩船**

長さ一一メートル、幅八メートル、高さ四・七メートルの巨大な石造物で、上の面を平らに加工して、一辺が一・六メートル、深さ一・三メートルの穴が二つ掘られている。用途は判明はしていないが、古墳の石室で未完成品という説が有力である。

上部平坦面の溝や穴が高麗尺で計画されており、花崗岩の加工技術などからも古墳時代の終末期、七世紀代の特色を持つ。飛鳥地方にある石造物の中では最大のもの。

側面には格子状の溝が荒削りの状態で残り、石の整形痕が見られる。これは、インド・マハーバリプラムで見られた石の整形跡と同じで、平らな面を得るために溝を彫ることによって整形の当たりをつけ、さらに石を外しやすくするための跡である。平らに整形した表面にもこのような溝跡がかすかに確認でき、巨大な自然石をこのような格子状整形加工の方法によって扱ったことがわかる。

■**亀石**

長さが四・五メートル、幅二・八メートル、高さ二メートルの巨石で、

亀石

自然石の形を生かして亀の形に整形した石造物。

一説には、条理を示すために設置された石という説があるが、これも用途が不明の石造物である。側面と底面に益田の岩船にもある格子状整形加工跡が確認される。

亀石の側面にも格子状整形加工跡が

底面にも格子状整形加工跡が確認できる（亀石）

石人像（複製）

石人像オリジナル

噴水孔が貫通している様子（石人像オリジナル）

■石人像

高さが一・七メートルで岩に腰かけた男女の石造物。顔は鼻が高く、異国人風の風貌をしている。男女どちらの口元にも直径二センチの孔が開けられており、そこから水が噴き出す噴水装置として作られたものと推察されている。男子の口元にはお椀があったものと思われるが欠損しており、その欠損部分から石造内部で孔をＹ字につなげた様子が確認できる。この孔開けの技術は、「エンショウノミ」と呼ばれるノミ先が一文字になっている長いノミで、一人がノミを回し、もう一人がノミを打つという加工方法でなされたものと思われる。圧縮空気を動力とする現代の削岩機と同じ原理で石に孔を開けるというもので、言ってみれば手動式の古代版削岩機による孔開け加工である。孔をつなげるには高い技術を要し、当時の技術水準を推し量ることができる。

亀形石槽

酒船石遺跡の湧水の導水施設

側面にクサビ穴が残る酒船石

酒船石

■舟形石槽・亀形石槽

近年、酒船石のある丘陵地を発掘した結果、大規模な土木工事がなされていたことがわかり、丘陵地一帯は酒船石遺跡と呼ばれている。その谷底に当たる場所から切石積みの湧水施設と舟形石槽、亀形石槽が発掘された。

切石積みの湧水施設から舟形石槽、亀形石槽と流れ込む構造となっている。周囲は壇上の石敷きで重要な儀礼の場であったのではないかと考えられている。どちらも花崗岩の飛鳥石の丸彫りで、整形の加工度合いが高い見事な石造物である。

この石造品は自然石から整形したものではなく、丸彫りである。もしかしたら、石をいったん凡その大きさに割ってから加工したものか。石を割る技術はクサビ（矢）を用いる方法であるが、この方法はこの時代の技術として、考古学的に認められていない。なぜそのように推測したかというと、平面的な石造品を作る場合、いったん石の目に添って割ると一発で平らな面が得られ、それから整形した方が、自然石から平面を作るよりはるかに作業的な効率がよく、仕上がりもきれいだからだ。実際に作業する石工は、効率と仕上がりの良さを求めて仕事をする。一般的には無駄なことや労力のかかることはしないものだ。

■酒船石

長さが五・五メートルの自然石に楕円と直線が連結するように彫られている石造物。用途不明の石造物として古くから知られており、江戸時代には酒造り、朱や油の精製、天文観測など諸説が唱えられた。

近年になって、丘陵地の谷部分から舟形石槽・亀形石槽が発見され、酒船石遺跡の頂上部に位置することから、これも流水を用いた祭祀施設の一部とみられている。

側面には石を割るためのクサビ（矢）痕がついており、石を分割しているが、現在の形を得るために割られたものか、分割した石を他に転用するために割られたものかわかっていない。

参考文献

・飛鳥の石造文化と石工　奈良文化財研究所　飛鳥資料館
・高松塚古墳を掘る　奈良文化財研究所　飛鳥資料館
・飛鳥資料館案内　奈良文化財研究所　飛鳥資料館
・専門技能と技術・『石造物と石工』　和田晴吾著　岩波書店

二、　古代オリエントから飛鳥につながる石材技術

古代のオリエント地域を歩いてみると、石に対する並々ならぬこだわりがはっきりと確認できる。特に古代エジプトでは、五千年前にはアスワンの硬い赤花崗岩を使い始め、四千五百年前の石材加工技術の粋を尽くしたピラミッドの建設に至っている。ファラオの威信を象徴するギザのピラミッドや各地の神殿における石材の技術水準は驚異的ですらある。砂を用いて自在に石を切り、

インド・マハーバリプラム石窟寺院での格子状整形加工跡

益田の岩船に残る格子状整形加工跡

イラン・ペルセポリス基底部の加工跡

トルコ・ハットゥシャ遺跡の石槽の水抜き孔

トルコ・ハットゥシャ遺跡の石槽

トルコ・カマンカレホユック・アナトリア考古学博物館の石槽の水抜き孔

トルコ・カマンカレホユック・アナトリア考古学博物館の石槽

穴をあけていたことがいたる所で確認できる。また石造品の完成度も高く、現代の石造品を凌駕するような作品も数多く存在する。

今回のオリエント地方からインド、そして飛鳥の旅では、このような石材技術が文明の流れとともに、各地域で後世へと受け継がれてきたことがおぼろげながら見ることができた。

ここで、そのいくつかを取り上げてみる。

■格子状整形

インドのマハーバリプラム石窟寺院の各所に残っている整形方法は、イラン・ペルセポリスの基底部分の整形にも同じような加工意識を見ることができる。ペルセポリスの場合は石積みの整形加工なので岩体そのものの整形ではないにしろ、基準を設けて平面を得ようとする技術的な考え方は同じである。その方法が飛鳥の益田の岩船や亀石の整形跡でも確認することができる。

■穴（孔）開け

古代エジプトの石棺などで確認できたドリルによる穴開け方法は、トルコ・ヒッタイト遺跡でも確認できた。建築物の基礎石に穴を開けて石壁の支えにしている事例が多数、残っており、ヒッタイトでは穴明け技術が多用されていたようである。このドリルによる穴開け技術はイラン・スーサ遺跡からの発掘品でも確認された。

飛鳥における孔開け技術は、前述した「エンショウノミ」によるノミの手回しによる孔開けのようである。この方法での穴明け加工はトルコ・ヒッタイトでも使われていたようでハットゥシャ遺跡の石槽の水抜き孔や、カマン・カレホユックのアナトリア考古学博物館の野外に展示してある石槽の水抜き孔で見ることができる。

■梃子（てこ）穴

石造物を移動したり設置したりする際、木製や金属製の梃棒を差し込んで石を動かす作業をするための梃子穴である。この穴は二か所必要で、二つの梃子による力を微妙に調整して石を移動するもので、エジプト・クフ王

飛鳥資料館に展示中の石人像に見られる孔加工痕

イラン・スーサ博物館展示の石造品

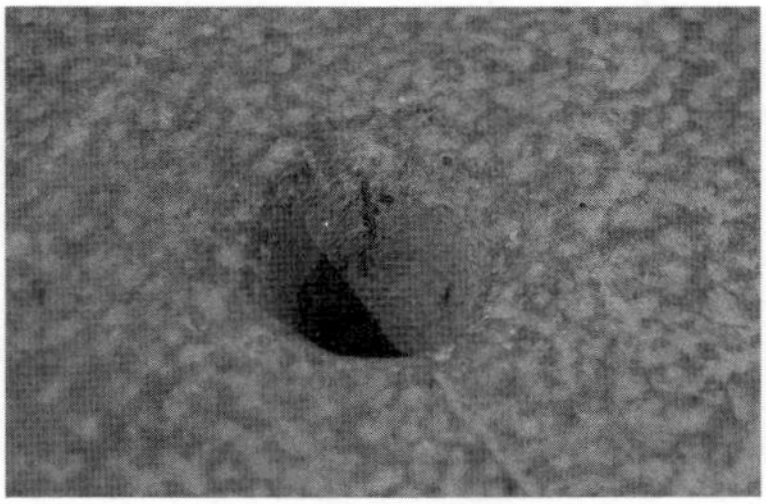
イラン・スーサ博物館展示の石造品で見られた穴明け加工痕

ピラミッドの外装化粧石やカルナック神殿の石造台座のいくつかで確認することができた。また、イラン・パサルダガエ遺跡の石塔基底部でも見つけることができた。飛鳥では高松塚古墳石室の天井石の移動調整で、梃子が使われていたことが、飛鳥資料館発行の「高松塚古墳を掘る」で示されている。

■クサビ（矢）穴

エジプト・アスワンの赤花崗岩の採石場でたくさん見られるクサビ穴、石を岩盤から外す際に、クサビを打ち込むために開けられた穴である。古代エジプトでのクサビ穴は、比較的奥行きが浅く、幅のあるクサビを用いていたようで、穴を連続的に開け、そこにクサビを打ち込んでいた様子が見て取れる。後世のクサビ穴は奥行きが深く、間隔は緩やかであるのではっきりと区別できる。

この技術は、硬い石質を持つ花崗岩や玄武岩などの岩盤から、石材を効率よく外すための必須の方法で、実際の作業では石質や岩盤の状況に応じて、大きさや角度の違う様々なクサビを使い分ける必要がある。

クサビ穴は、各地の遺跡の建造物や石の切り出し跡に見られるもので、花崗岩の岩盤に造られたインドのマハーバリプラム石窟寺院でも数多く確認することができる。

日本では、十二世紀前後になって初めてクサビが使われたとされ、考古学的にそれ以前にはこの技術がなかったとしている。しかし、前出の『高松塚古墳を掘る』の中で示された石室南壁石の下端に付けられた五つの連続した穴は、「梃子穴」と説明しているが、私にはクサビ穴としか思えない。

説明では「一度石室を完全に組み立てて第一次墳丘で覆った後、（略）再度この5つの梃子穴を使って南壁石を開閉したと考えられます」としているが、梃子で壁石を開閉のために移動させるには移動させるための隙間が必要であり、完全に組み立てた後の石室は密封させることができないし、もし梃子穴だとしても石を移動するには梃子穴は二つで十分であり、五つも必要がない。作業上、無駄なことはしないのが石工の常である。

また、「中世石工の考古学『古代採石加工技術の諸相』」では岩盤から取り出そうとする石材の説明が記してあり、それによると「外周に溝を掘り底面に小穴を掘る」、その後「梃子棒で底面を割り取る」という

イラン・バルサダガエ遺跡の石造物の基底部に確認される梃子穴

飛鳥・高松古墳石室の天井石の梃子穴
（「高松塚古墳を掘る」より図化）

エジプト・ルクソール神殿のラムセス二世像基底部に確認される梃子穴

解説であるが、高松塚古墳の石室は凝灰岩であり、そのような軟質の石を岩盤から梃子棒で外そうとしても岩盤とつながったままの状態では、石と岩盤がつながっている力が強く、起こせない。無理に外そうとすれば小さな梃子穴では凝灰岩の石質はもろいので壊れてしまう。ここでは一旦、小さな穴にクサビを打ち込んで岩盤から石を絶縁する手順が必要であり、そのために連続して穴を開けたものと思われる。つまり、クサビ（矢）穴である。念のためにトルコ・エフェス遺跡に掲げてあった看板を示しておくことにする。石灰岩質の岩盤からクサビ（矢）を使って石を外している図が描かれている。

　飛鳥では自然石から直接整形加工した石造品が多く、クサビを利かすには、割ろうとする玉石の中心かそれに近いところにクサビを打ちこまないと、石がそげてしまい思うようには割れない。そのため、クサビ

インド・マハーバリプラム石窟寺院で見られるクサビ穴加工痕

エジプト・アスワン赤花崗岩採石場に見られるクサビ穴加工痕

飛鳥・酒船石にもクサビ穴加工痕が

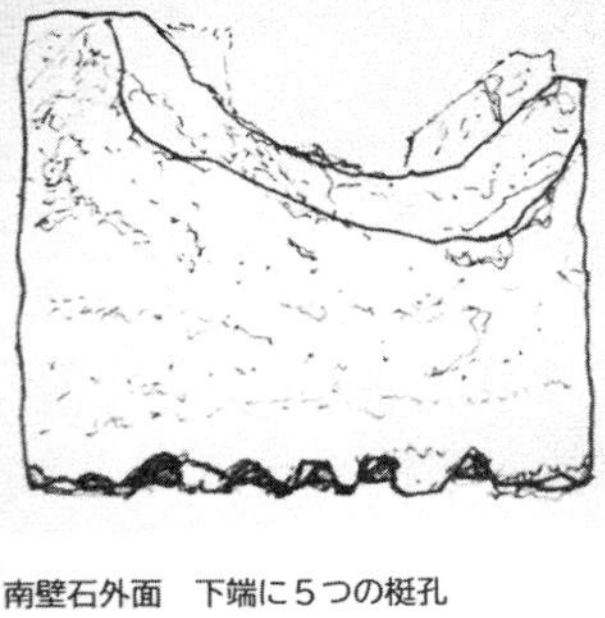

飛鳥・高松塚古墳石室南壁石の五つ連続したクサビ穴加工痕（「高松塚古墳を掘る」より図化）

を用いる合理性がなかったと思われる。また、クサビは石の塊の力を利用して割るので、軟質の凝灰岩や砂岩ではクサビの利きが悪く、やはりクサビは必要としなかったのであろう。ただし、軟石でも岩盤から切り離す作業では有効であるので、その際にはクサビを打ち込んだものと思われる。

インド・マハーバリプラム石窟寺院でも格子状整形技術とクサビの技術を持ち合わせ、状況に応じて使い分けていた。飛鳥の場合も同様だったと思われるのである。

参考文献

・中世石工の考古学・『古代・中世の石工と技術』佐藤亜聖編　高志書院

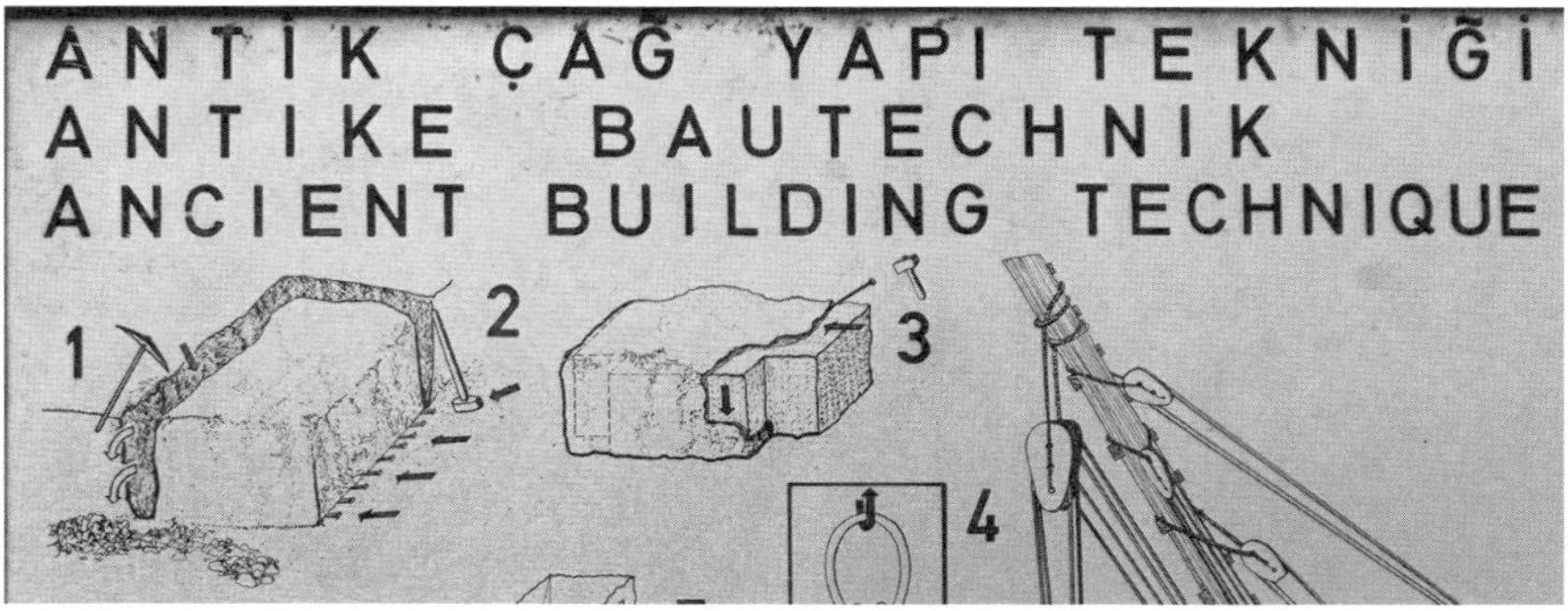

トルコ・エフェス遺跡に掲げてあった看板。左の図画にクサビを使って岩盤から石材を外す様子が描かれてある

番外編

――朝鮮式山城の石垣

朝鮮式山城の石垣

飛鳥資料館発行の『飛鳥の石造文化と石工』という冊子の中で「飛鳥時代には矢穴技法は無かった」と記されている。矢穴技法とは、石を割るための穴を石に開け、「矢」といわれるクサビをその穴に差し込み、クサビの上面をハンマーなどで打って石を割る技法のことであるが、その技法は六世紀末から始まった飛鳥時代には無いということになっているのである。

と同時に、「飛鳥寺――百済から伝来した石材加工技術の画期」という項の中で「百済から僧とともに寺工・路盤博士・瓦博士・画工といった各種の技術者の派遣をうけて、はじめて飛鳥寺の造営を進めることができた。その中に石工の技術も含まれていたと考えられる（略）硬い石材を加工する技術は、飛鳥寺造営を契機として百済の石工技術が導入されたことが大きな画期となったと考えられる」と記述されている。

韓国に残された百済時代の陵山里東古墳群の石室や定林寺址五層石塔など、花崗岩を自在に加工して作られた石造物を見ると、百済時代の韓国では硬い石を割る技術があったことは明らかである。しかし、我が国の考古学上の見解では飛鳥時代の石造物に矢穴が発見されていないことを論拠に、飛鳥時代には「矢穴技法」による石割り技術が無かったと結論付けている。

前編第二項「古代オリエントから飛鳥につながる石材技術」の中で、高松塚古墳の石室南壁石に付けられた五つの穴は「矢穴」であり、石割技術が飛鳥時代には存在していたことを指摘したが、その時代の「矢穴痕」を探し出し、「矢穴技法」による石割技術の存在をより確かなものとするために、北九州に残る「朝鮮式山城」を回ってみた。

資料によると「朝鮮式山城」は、「六六三年、白村江で倭（日本）・百済軍が唐・新羅連合軍に大敗し、その後唐・新羅連合軍の侵攻に備えるために百済の人の技術指導のもとで構築された山城」であり、花崗岩の切り石をふんだんに使用して石垣や水門を作っていることから、それらの石に石割の証拠である「矢穴痕」が見つかるのではないかと思ったからである。

■**大野城址**

案内板には「大宰府政庁を中心とした防衛ラインを形成するために百済からの亡命高官二名による戦略的・技術的指導のもと築城された」とある。「百間石垣」「大宰府口城門跡」「大石垣」など、石垣が築かれている部分を確認した。

「百間石垣」は土塁を固定するためを主目的に積まれたためなのか、花崗岩を乱割し前面を合わせただけの乱積みといった状況で、特に注目すべき点はなかった。谷筋にあたる「大石垣」の石積みは、凡そのサイズにそろえた長方形の部材に割って、石と石とが合わさるようにそれぞれの石の面を丁寧に加工した様子がうかがえる。

■**御所ケ谷神籠石**

七世紀後半、当時の中央政権が北九州の防衛の要として重視していた京都平野後方の尾根沿いに築かれた福岡県行橋市の御所

大野城址・大宰府口城門跡

大野城址・大石垣

ケ谷神籠石も朝鮮式山城であり、大規模な石塁や土塁に象徴されるように、城としての完成度も高い。

特に、土塁が谷を渡る部分は通水口を備えた石塁が築かれ、特に中門跡の石塁は花崗岩の切り石を巧みに積み上げてあり、壮観ですらある。

■雷山神籠石

福岡県糸島市雷山・飯原間の山中に築かれた朝鮮式山城である雷山神籠石の主な遺構として、谷筋に築かれた水門と、それから東西に伸びる列石がある。

水門の石積みは、石と石の面が密着しており、朝鮮式石積みとして完成度が高く、一部崩れたところが見受けられるが、現在でもしっかりとその姿を保っている。

谷に転がっていた水門の石積みと思われる部材を注意してみるとノミ加工が施され

御所ケ谷神籠石・中門跡

御所ケ谷神籠石・中門跡石積み状況

御所ケ谷神籠石・中門跡の切り欠き加工による石積み

御所ケ谷神籠石・中門跡通水付近の石積

た面が確認でき、面と面が全体で合わさるような加工跡が見られる。

■朝鮮式石積みについて

唐・新羅連合軍からの防衛のために、構築された朝鮮式山城はかなり急を要した大工事と思われたが、実際に積まれた石垣現場を観察すると、実に丁寧な造りで石垣としての完成度も高いことが分かった。

当時の朝鮮式石積み工法は、基本的に部材の接合面が面全体で合わせる密着度の高い技法で積まれている。先ず、部材を高さが凡そ揃うような意識で立方体に割り、部材ごとにすべての面をなだらかに整形し、中には接合面を三次元で合わせるような整形した部材も見受けられた。

また、部材のエッジ部分は割りっぱなしではなく丸面加工を施している部材が多いのも特徴的である。この丸面加工は、地震の際に割りっぱなしの面だと角が欠けたり、ひびが入ったりして部材が損傷をするのを防ぐための処理だと思われる。

さらに、意識的に石の角を「L字」に切り欠いた「切り欠き加工」を施した部材を石積みの随所に組み込んで、石積みの水平を調整するとともに、部材をより密着させて石垣全体の強度を高める工夫が見られる。

これらの耐震工夫により、朝鮮式石垣は構築以来千三百年もの時間を経過しても、大きく崩落もせずその姿を保っているものと思われる。付け加えておくと、石垣には割りっぱしではなく丁寧に表面処理している部材を

雷山神籠石・水門付近の石積み状況

雷山神籠石・水門

用いているので、「矢穴痕」は消されている。

我が国と朝鮮式との石垣を比較してみると、我が国の石積みは部材の奥行（控え）を細く整形したものを用いたものが多い。石積みの接合は表の一面のみを合わせて、控えには小石や採石などを詰め込んで免震対策としている。「野面積み」「打ちこみ接ぎ」「切り込みハギ」と中世から近世にかけて、進展させてきた我が国の石積み技法であるが、基本的には部材全体の面を接合させる技法はとられていない。近年、仙台城や熊本城といった構築後四百年前後の石垣が大規模な修復や積み直しの作業が行われていることを考えると、朝鮮式石積みの耐久性はかなり高いことが分かる。

朝鮮式石積みは花崗岩をいったん積み石に適した寸法に割って部材を整形したものと推測するが、もしこの時代に石割技法が無いとするならば、どのような技法で石積みの部材を作ることができるのか、教えを請いたいものだ。

雷山神籠石・ノミ加工痕が確認される水門に使われた部材

参考文献

・韓国の古代遺跡２　百済・伽耶編　森浩一監修　中央公論社
・日本の古代国家と城・『朝鮮式山城』　葛原克人著　新人物往来社
・シンポジウム　阿志岐山城を語る　筑紫野市歴史博物館（筑紫野市教育委員会）
・御所ヶ谷神籠石　行橋市歴史資料館（行橋市教育委員会）

雷山神籠石・列石の三次元合わせ加工の様子

雷山神籠石・水門の切り欠き加工による石積み

あとがき

二〇二〇年二月、インド各地の遺跡巡りから始めた今回の石材技術を探る取材旅行は、始まりから波乱に満ちていた。その年の三月には世界中に新型コロナウイルスが蔓延し、インドでもロックダウンにより全土で交通機関が完全にストップ。国内便、国際便問わず航空機も全便欠航となって、危うくインドに留め置かれる寸前で帰国した。

二〇二二年一〇月に再開したヨルダンの取材旅行では、イエスが洗礼を受けたヨルダン川の「ベタニアの洗礼所」も訪れたが、その対岸はイスラエル西岸部パレスチ自治区であり、同じパレスチナ自治区の地中海東岸部のガザ地区では一年後に紛争が勃発し、イスラエル軍によるハマス一掃の爆撃が現在も行われている。

また、その年の十二月に実施したトルコ南東部の取材旅行の際には、出発の数日前にイスタンブールでテロによる爆破事件があり、現地に行くことの不安が多少あったが、旅行会社の判断で催行された。実際に訪れてみるとシリア国境の町、シャンルウルファやガズィアンテップではシリアからの難民が多く見かけられた。難民にはトルコ政府から生活支援が行われているということであるが、トルコ領内からヨーロッパ諸国に難民が移動しないようにヨーロッパ諸国からトルコ政府にかなりの資金が流れているということを耳にした。

二〇二三年のイラン旅行では、イランが西側諸国からの経済制裁を受けていることから、カード決済ができず、またＳＮＳやＬＩＮＥは繋がらない状態で、経済制裁の実態を実体験した。さらにロシアによるウクライナ軍事侵攻が続く中、観光地ではロシア人の観光客を見かけたり、中国人観光客からは「日本人がどうしてイランに観光で来ることができるのか」と尋ねられたりして、複雑な気持ちになった。

さらに、その年の九月のトルコ中央部の取材旅行では、訪問している当日に首都アンカラでテロに絡む事件があり、テロ組織の二人が殺害されたという事件に接した。ガイドによると「ここは中近東。何があっても不思議ではない」とのこと。

まさに、多様な人種と言語、それに宗教が複雑に絡み合い歴史的な経緯も伴って争いが絶えることがなかった中近東、そのエネルギーが文明を生み、発展させたと言っても過言ではないだろうが、そんな混沌が現代にまで続いているということを実感した取材旅行であった。

新型コロナウイルス感染流行のため、思いがけず三年半にわたる長期の取材となり、最初の取材地・インドとそのほかの取材地の記述に多少ズレがあるが、当時の思いや感想をそのまま伝えることも旅行記として大事だと思い、そのまま載せることにした。

今回は石材に関する技術が古代オリエントから日本に連綿とつながっていることを主題として書き記したが、はからずも「五千年前の古代エジプト時代には花崗岩を自在に加工できるほどの優れた鉄が存在していた可能性があること」と「七世紀、古代の飛鳥時代には石割技術が韓国から日本にもたらされていたこと」を本書の中で指摘することとなった。いずれも現在の考古学では肯定されていない事柄であるが、別に機会に改めてまとめてみたいと思っている。

このような個人的な興味心から取材を重ね、書籍としてまとめられる現実に、日本という国が当たり前のように安全かつ安心に満ちていることを実感するとともに、古代から絶え間なく興亡を繰り返してきた中近東・オリエントの世界に思いを馳せている。

二匹の猫とともに静かな時間が流れている自宅にて

著者紹介

山田　政博（やまだ・まさひろ）

1953年　宮城県角田市生まれ。明治大学卒業
1986年　家業の伊達冠石採掘会社4代目を受け継ぐ。
1989年 第一回仙台彫刻シンポジウム運営事務責任者
1991,1992,1998,2015年、採石場跡地保全作業を造形的作業に置き換えた大蔵山ワークキャンプを企画、運営
2017年　大蔵山スタジオ株式会社代表を長男に継承

著書　山にいのちを返すー大蔵山採石場にて（石文社）
晴彫雨読　（日本石材工業新聞社）
白石・おもしろ石　（石文社）
東北石神様百選　（プランニングオフィス社）

Blog「石好きおじさんの石めぐり」
https://14ishimeguri.blogspot.com/

古代オリエントから飛鳥へ　―石材技術を探る旅

2024年　7月10日　初版第一刷発行

著作者　山田　政博　©Masahiro YAMADA, 2024

発行所　丸善プラネット株式会社
〒101-0051　東京都千代田区神田神保町 2-17
電話 (03) 3512-8516
https://maruzenplanet.hondana.jp/

発売所　丸善出版株式会社
〒101-0051　東京都千代田区神田神保町 2-17
電話 (03) 3512-3256
https://www.maruzen-publishing.co.jp/

印刷　富士美術印刷株式会社
ISBN 978-4-86345-565-8　C0026